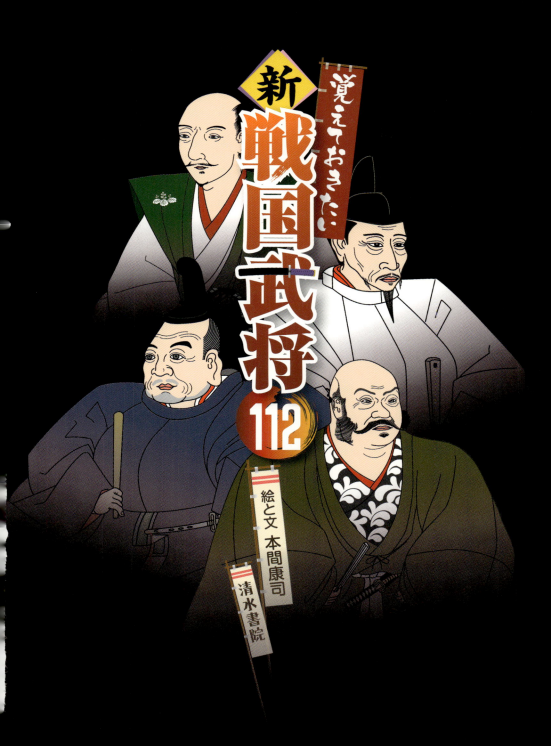

16世紀後半 戦国大名の勢力範囲

いわゆる応仁の乱（応仁・文明の乱、1467年～1477年）で守護大名が領国を離れ、京都で戦いを繰り広げていた間に、各地では、守護代やその地域の力のある土着の武士（国人）たちが力を伸ばしてきました。守護大名にかわって領国の実権をにぎるようになったことで、戦国大名として、歴史に登場してきたのです。

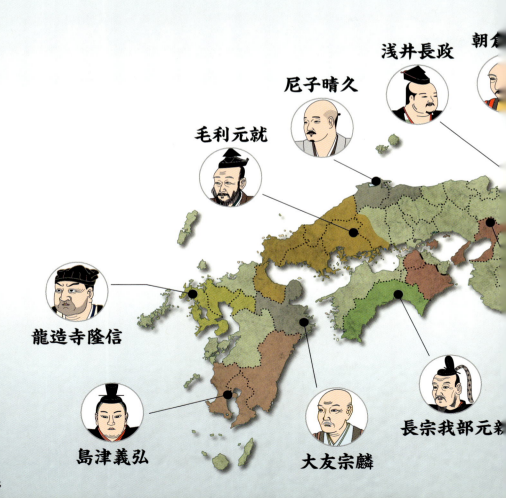

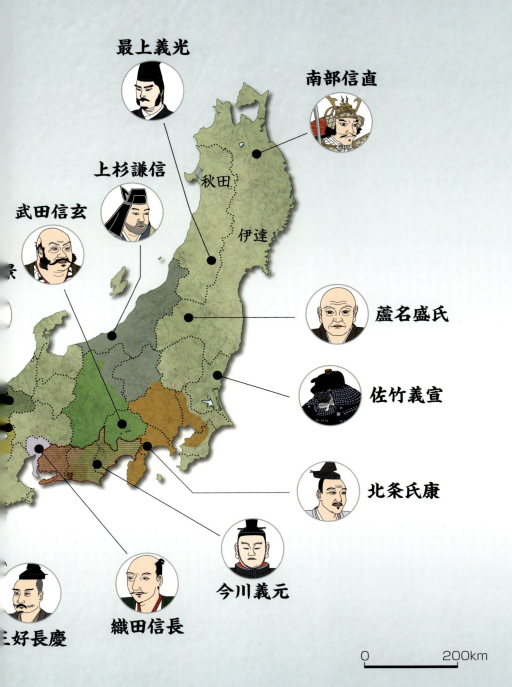

覚えておきたい新・戦国武将112
もくじ

— 教科書に出てる順 — Ⓐ 10冊以上　Ⓑ 6冊以上　Ⓒ 5冊以下

| 織田 信長 （おだ のぶなが） Ⓐ | 愛知県 | 1534〜1582 | 10 |

ゆかりのお城　清洲城／岐阜城／安土城 ……… 13

豊臣 秀吉 （とよとみ ひでよし） Ⓐ　　愛知県　1537〜1598 ……… 14

ゆかりのお城　長浜城／大阪城／伏見城 ……… 17

徳川 家康 （とくがわ いえやす） Ⓐ　　愛知県　1543〜1616 ……… 18

ゆかりのお城　岡崎城／名古屋城／駿府城 ……… 19

明智 光秀 （あけち みつひで） Ⓐ　　滋賀県　1528?〜1582 ……… 22

足利 義昭 （あしかが よしあき） Ⓐ　　京都府　1537〜1597 ……… 24

石田 三成 （いしだ みつなり） Ⓐ　　滋賀県　1560〜1600 ……… 26

関ヶ原の戦い　　岐阜県　1600 ……… 28

今川 義元 （いまがわ よしもと） Ⓐ　　静岡県　1519〜1560 ……… 30

柴田 勝家 （しばた かついえ） Ⓐ　　愛知県　1522?〜1583 ……… 32

上杉 謙信 （うえすぎ けんしん） Ⓐ　　新潟県　1530〜1578 ……… 34

武田 信玄／晴信 （たけだ しんげん／はるのぶ） Ⓐ

　　　　　　　　　　　　山梨県　1521〜1573 ……… 36

川中島の合戦　　長野県　1553〜1564 ……… 38

加藤 清正 （かとう きよまさ） Ⓐ　　熊本県　1562〜1611 ……… 40

ゆかりのお城　熊本城 ……… 43

毛利 輝元 （もうり てるもと） Ⓐ　　山口県　1553〜1625 ……… 44

毛利 元就 （もうり もとなり） Ⓑ　　広島県　1497〜1571 ……… 46

武田 勝頼／諏訪 勝頼 （たけだ かつより／すわ かつより） Ⓑ

　　　　　　　　　　　　山梨県　1546〜1582 ……… 48

長篠の合戦　　1575 ……… 50

大友 宗麟／義鎮 （おおとも そうりん／よししげ） Ⓑ

　　　　　　　　　　　　大分県　1530〜1580 ……… 52

北条 早雲／伊勢 宗端 （ほうじょう そううん／いせ そうずい） Ⓑ

　　　　　　　　　　　　神奈川県　1432〜1519 ……… 54

北条 氏康 （ほうじょう うじやす） Ⓑ　　神奈川県　1515〜1571 ……… 56

北条 氏政 （ほうじょう うじまさ） Ⓑ　　神奈川県　1538〜1590 ……… 58

上杉 景勝 （うえすぎ かげかつ） Ⓑ　　山形県　1556〜1623 ……… 60

前田 利家 （まえだ としいえ） Ⓑ　　石川県　1538〜1599 ……… 62

4

ゆかりのお城 金沢城 ⋯⋯⋯⋯⋯⋯⋯⋯⋯⋯⋯⋯ 65

宇喜多 秀家 （うきた ひでいえ）Ⓑ　　　岡山県　　1572 ～ 1655 ⋯⋯ 66

伊達 政宗 （だて まさむね）Ⓑ　　　　　宮城県　　1567 ～ 1636 ⋯⋯ 68

長宗我部 元親 （ちょうそかべ もとちか）Ⓑ　高知県　　1539 ～ 1599 ⋯⋯ 70

浅井 長政 （あざい ながまさ）Ⓑ　　　　滋賀県　　1545 ～ 1573 ⋯⋯ 72

朝倉 義景 （あさくら よしかげ）Ⓑ　　　福井県　　1533 ～ 1573 ⋯⋯ 74

斎藤 道三／利政 （さいとう どうさん／としまさ）Ⓑ

　　　　　　　　　　　　　　　　　　　岐阜県　　1494? ～ 1556 ⋯⋯ 76

福島 正則 （ふくしま まさのり）Ⓑ　　　愛知県　　1561 ～ 1624 ⋯⋯ 78

島津 義弘 （しまづ よしひろ）Ⓒ　　　　鹿児島県 1535 ～ 1619 ⋯⋯ 82

秋田 実季 （あきた さねすえ）Ⓒ　　　　秋田県　　1576 ～ 1659 ⋯⋯ 84

黒田 官兵衛／孝高 （くろだ かんべえ／よしたか）Ⓒ

　　　　　　　　　　　　　　　　　　　福岡県　　1546 ～ 1604 ⋯⋯ 86

後藤 又兵衛／基次 （ごとう またべえ／もとつぐ）Ⓒ

　　　　　　　　　　　　　　　　　　　兵庫県　　1560 ～ 1615 ⋯⋯ 88

竹中 重治／半兵衛 （たけなか しげはる／はんべえ）Ⓒ

　　　　　　　　　　　　　　　　　　　岐阜県　　1544 ～ 1579 ⋯⋯ 90

小早川 秀秋 （こばやかわ ひであき）Ⓒ　岡山県　　1582 ～ 1602 ⋯⋯ 92

佐々 成政 （さっさ なりまさ）Ⓒ　　　　富山県　　1536 ～ 1588 ⋯⋯ 94

佐竹 義宣 （さたけ よしのぶ）Ⓒ　　　　茨城県　　1570 ～ 1633 ⋯⋯ 96

真田 信繁／幸村 （さなだ のぶしげ／ゆきむら）Ⓒ

　　　　　　　　　　　　　　　　　　　長野県　　1567 ～ 1615 ⋯⋯ 98

大阪冬の陣，夏の陣　　　　　　大阪府　　1613、1614 ⋯⋯ 100

真田 昌幸 （さなだ まさゆき）Ⓒ　　　　長野県　　1547 ～ 1611 ⋯⋯ 102

立花 宗茂 （たちばな むねしげ）Ⓒ　　　福岡県　　1566 ～ 1642 ⋯⋯ 104

津軽 為信 （つがる ためのぶ）Ⓒ　　　　青森県　　1550 ～ 1607 ⋯⋯ 106

藤堂 高虎 （とうどう たかとら）Ⓒ　　　滋賀県　　1556 ～ 1630 ⋯⋯ 108

ゆかりのお城 宇和島城／津城／江戸城 ⋯⋯⋯⋯ 110

日本のお城 現存天守 12 城 ⋯⋯⋯⋯⋯⋯⋯⋯⋯ 111

直江 兼続 （なおえ かねつぐ）Ⓒ　　　　新潟県　　1560 ～ 1619 ⋯⋯ 112

本多 忠勝 （ほんだ ただかつ）Ⓒ　　　　愛知県　　1548 ～ 1610 ⋯⋯ 114

山内 一豊 （やまうち かつとよ）Ⓒ　　　高知県　　1546 ～ 1605 ⋯⋯ 116

5

覚えておきたい新・戦国武将112
もくじ

— 教科書に出てる順 — Ⓐ 10冊以上　Ⓑ 6冊以上　Ⓒ 5冊以下

尼子 晴久 （あまご はるひさ）Ⓒ	島根県	1514〜1560	118
龍造寺 隆信 （りゅうぞうじ たかのぶ）Ⓒ	佐賀県	1529〜1584	120
最上 義光 （もがみ よしあき）Ⓒ	山形県	1546〜1614	122
結城 晴朝 （ゆうき はるとも）Ⓒ	茨城県	1534〜1614	124
蘆名 盛氏 （あしな もりうじ）Ⓒ	福島県	1521〜1580	126

ゆかりのお城　会津若松城　127

千利休 （せんのりきゅう）Ⓐ	大阪府	1522〜1591	128
顕如 （けんにょ）Ⓑ	大阪府	1543〜1592	130
豊臣 秀頼 （とよとみ ひでより）Ⓐ	大阪府	1593〜1615	134
浅野 長政 （あさの ながまさ）Ⓑ	愛知県	1547〜1611	134
小早川 隆景 （こばやかわ たかかげ）Ⓒ	広島県	1533〜1597	136
北条 氏綱 （ほうじょう うじつな）Ⓑ	神奈川県	1487〜1541	136
高山 右近 （たかやま うこん）Ⓑ	奈良県	1552〜1615	138
大内 義隆 （おおうち よしたか）Ⓑ	山口県	1507〜1551	140
松永 久秀 （まつなが ひさひで）Ⓑ	奈良県	1510〜1577	140
池田 輝政 （いけだ てるまさ）Ⓑ	愛知県	1564〜1613	142

ゆかりのお城　姫路城　142

黒田 長政 （くろだ ながまさ）Ⓒ	兵庫県	1568〜1623	144
古田 織部 （ふるた おりべ）Ⓒ	岐阜県	1544〜1615	144
足利 義輝 （あしかが よしてる）Ⓒ	京都府	1536〜1565	146
細川 忠興 （ほそかわ ただおき）Ⓒ	京都府	1563〜1646	146
太田 道灌 （おおた どうかん）Ⓒ	東京都	1432〜1486	148
浅野 幸長 （あさの よしなが）Ⓒ	和歌山県	1576〜1613	148
荒木 村重 （あらき むらしげ）Ⓒ	兵庫県	1535〜1586	150
井伊 直政 （いい なおまさ）Ⓒ	静岡県	1561〜1602	150
大谷 吉継 （おおたに よしつぐ）Ⓒ	？	1559〜1600	152
加藤 嘉明 （かとう よしあきら／よしあき）Ⓒ	愛知県	1562〜1631	152
蒲生 氏郷 （がもう うじさと）Ⓒ	滋賀県	1556〜1595	154
吉川 元春 （きっかわ もとはる）Ⓒ	広島県	1530〜1586	154
九鬼 嘉隆 （くき よしたか）Ⓒ	三重県	1542〜1600	156

酒井 忠次 （さかい ただつぐ）Ⓒ	愛知県	1527 〜 1596	156
仙石 秀久 （せんごく ひでひさ）Ⓒ	香川県	1552 〜 1614	158
滝川 一益 （たきがわ いちます／かずます）Ⓒ	滋賀県	1525 〜 1586	158
立花 道雪 （たちばな どうせつ）Ⓒ	福岡県	1513 〜 1585	160
筒井 順慶 （つつい じゅんけい）Ⓒ	奈良県	1549 〜 1584	160
豊臣秀長 （とよとみ ひでなが）Ⓒ	愛知県	1540 〜 1591	162
鍋島直茂 （なべしま なおしげ）Ⓒ	福岡県	1538 〜 1618	162
丹羽長秀 （にわ ながひで）Ⓒ	愛知県	1535 〜 1585	164
蜂須賀 正勝／小六 （はちすか まさかつ／ころく）Ⓒ			
	愛知県	1526 〜 1586	164
服部 半蔵 （はっとり はんぞう）Ⓒ	愛知県	1542 〜 1596	166
堀 秀政 （ほり ひでまさ）Ⓒ	岐阜県	1553 〜 1590	166
山本勘助 （やまもと かんすけ）Ⓒ	愛知県	1493 〜 1561	168
榊原 康政 （さかきばら やすまさ）Ⓒ	愛知県	1548 〜 1606	168
島 左近 （しま さこん）Ⓒ	奈良県	？ 〜 1600	170
村上 義清 （むらかみ よしきよ）Ⓒ	長野県	1501 〜 1573	170
片倉 小十郎 （かたくら こじゅうろう）Ⓒ			
	山形県	1557 〜 1615	172
結城 秀康 （ゆうき ひでやす）Ⓒ	滋賀県	1574 〜 1607	172
細川 幽斎 （ほそかわ ゆうさい）Ⓒ	京都府	1534 〜 1610	174
京極 高次 （きょうごく たかつぐ）Ⓒ	滋賀県	1563 〜 1609	174
今川 氏真 （いまがわ うじざね）Ⓒ	静岡県	1538 〜 1614	176
尼子 経久 （あまご つねひさ）Ⓒ	島根県	1458 〜 1541	176
斎藤 義龍 （さいとう よしたつ）Ⓒ	岐阜県	1527 〜 1561	178
有馬 晴信 （ありま はるのぶ）Ⓒ	長崎県	1567？ 〜 1612	178
南部 信直 （なんぶ のぶなお）Ⓒ	青森県	1546 〜 1599	180
三好 長慶 （みよし ながよし）Ⓒ	徳島県	1522 〜 1564	180
鳥居 元忠 （とりい もとただ）Ⓒ	大阪府	1539 〜 1600	182
石川 数正 （いしかわ かずまさ）Ⓒ	？	？ 〜 1592	182
大久保 忠世 （おおくぼ ただよ）Ⓒ	愛知県	1532 〜 1594	184
平岩 親吉 （ひらいわ ちかよし）Ⓒ	愛知県	1542 〜 1611	184

覚えておきたい新・戦国武将112
もくじ

― 教科書に出てる順 ―　Ⓐ 10 冊以上　Ⓑ 6 冊以上　Ⓒ 5 冊以下

お市の方（おいちのかた）Ⓒ　　　　愛知県　1547 〜 1583 ……………… 186

淀殿（よどどの）Ⓒ　　　　　　　　滋賀県　1567 ・ 1615 ……………… 186

高台院ねね（こうだいいん）Ⓒ　　　愛知県　1549 〜 1624 ……………… 188

小松姫（こまつひめ）Ⓒ　　　　　　長野県　1573 〜 1620 ……………… 188

築山殿（つきやまどの）Ⓒ　　　　　静岡県　？〜 1579 ……………… 190

亀姫（かめひめ）Ⓒ　　　　　　　　静岡県　1560 〜 1625 ……………… 190

西郷局／於愛の方（さいごうのつぼね／おあいのかた）Ⓒ

　　　　　　　　　　　　　　　　　　静岡県　1552 〜 1589 ……………… 192

千姫（せんひめ）Ⓒ　　　　　　　　京都府　1597 〜 1666 ……………… 192

阿茶局／雲光院（あちゃのつぼね／うんこういん）Ⓒ

　　　　　　　　　　　　　　　　　　山梨県　1555 〜 1637 ……………… 194

朝日姫／旭姫（あさひひめ）Ⓒ　　　愛知県　1543 〜 1590 ……………… 194

大政所／仲（おおまんどころ／なか）Ⓒ

　　　　　　　　　　　　　　　　　　愛知県　1516 〜 1592 ……………… 196

春日局／斎藤福（かすがのつぼね／さいとうふく）Ⓒ

　　　　　　　　　　　　　　　　　　岐阜県　1579 〜 1643 ……………… 196

　　　戦国武将　四天王　ファイル ………………………… 198

　　　織田四天王 ……………………………………………… 198

　　　徳川四天王／武田四天王 …………………………… 199

　　　秀頼四天王／上杉四天王 …………………………… 200

　　　羽柴四天王／最上四天王／龍造寺四天王 ………… 201

　　　　　　　索引　生没年付き ………………………… 202

16 世紀後半 戦国大名の勢力範囲	2
日本各地の戦国大名	80
天下統一に向かう 戦国大名の勢力範囲	132

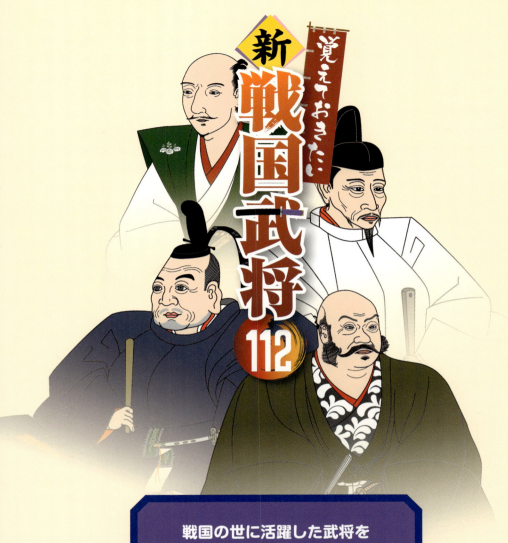

覚えておきたい
新 戦国武将 112

戦国の世に活躍した武将を
教科書に出てる順（→もくじ参照）に
ご案内していきます！

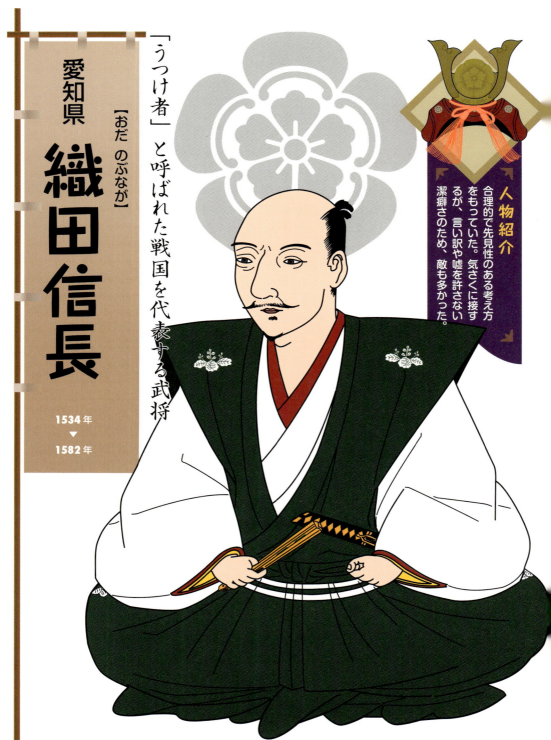

愛知県
【おだ のぶなが】
織田信長
1534年 ▼ 1582年

「うつけ者」と呼ばれた戦国を代表する武将

人物紹介
合理的で先見性のある考え方をもっていた。気さくに接するが、言い訳や嘘を許さない潔癖さのため、敵も多かった。

生涯

天文3年（1534年）

尾張国（愛知県）那古野城に生まれる。父は清洲城の織田家の家老織田信秀

天文20年（1551年）

父信秀の死後、家督を継ぐ

永禄3年（1560年）

桶狭間の戦い

今川義元の軍を奇襲して破り、武名をあげる

永禄6年（1563年）

岐阜に拠点を移す。このころから「天下布武」の印判を使い始める

永禄11年（1568年）

足利義昭を擁して京都に入り、義昭を将軍職につける

元亀2年（1571年）

反発する比叡山延暦寺を焼き打ちにする

天正元年（1573年）

朝倉義景・浅井長政を滅ぼし、義昭を京都から追放して室町幕府を滅ぼす

天正3年（1575年）

長篠の戦い

徳川家康と連合し、鉄砲隊を活用した戦法で、武田勝頼を破る

天正8年（1580年）

石山本願寺をくだし、畿内を掌握する

天正10年（1582年）

武田勝頼を滅ぼし、信濃・甲斐・駿河・上野を支配下におさめる

本能寺の変

毛利氏征討へ向かう途中、京都の本能寺で配下の明智光秀に襲われ自害する

エピソード

幼少期

授乳中、乳母の乳首をかみちぎるクセがあり、何人も乳母が交代したといわれる。

尾張の大うつけ

若い頃の信長は型破りな行動が多く、着物は片そでを脱ぎ、丈の短い袴をはき、腰にはひょうたんや火打ち石を入れた袋などをぶら下げていた。この姿で町を歩いていたので「尾張の大うつけ」と呼ばれた。

弟を暗殺

父の信秀が死去すると、信長が後を継いだ。弟の信行（信勝）は、一部の家臣とともに信長にそむこうとはかった。それに対し信長は、病気にかかったふりをして、信行が見舞いにきて脈をはかろうとした時に、用意していた短刀で信行を刺し殺した。

人物

宣教師ルイス・フロイスによると、背丈は中ぐらいで体つきも華奢に見え、ヒゲは少なく、よく通った声だったらしい。しかし、普段から軍事的な訓練をおこたらず、名誉心にとみ、正義心にあつかった。普段はおとなしいが、たまに激しく怒る事があり、家臣の注意をまったく聞かなかったという。

贈り物

もらった贈り物は、自分の気に入ったものだけ受け取り、気に入らないものは返した。

弥助

宣教師から黒人の奴隷を渡された。信長は、最初は黒い肌が信じられず、色を塗っていると思い、家臣に体を洗わせた。肌の色の違う人種がいることをやっと理解した信長は、その黒人を気に入り、「弥助」という名前をつけ家臣にした。奴隷だった弥助は、衣食住に不自由なく人間扱いされたことに感激し、信長に忠誠を誓って仕えたという。

相撲

相撲が好きで、身分に関係なく相撲を取らせ、毎年のように相撲大会を開いた。優勝力士は自らの家臣にして、「相撲奉行」に任命したという。

茶道を流行らせた

茶道具、良馬、鷹狩り、刀剣などを好んだが、とくに茶道具の収集に熱心だった。気に入った茶碗があると、持ち主に金銀を与えて手に入れたりした。信長は、戦で手柄のあった家臣には、褒美に領地を与えていたが、しだいに与える土地がなくなってきたため、褒美に茶碗を与えることもあった。戦国武将の間で茶道を流行らせたのは信長だといわれている。

子供の名前

信長には22人の子供がいて、うち男子は11人だったという。子供につける名前を「幼名」といい、通常は元服までの期間だけの限定ではあるが、長男には「奇妙丸」、次男には「茶筅丸」、三男「三七」、4男「於次」、5男「坊丸」、6男「大洞」、7男「小洞」、8男「酌」、9男「人」、10男「良好」11男「縁」と名付けたという。

新しいもの

昔のしきたりや常識にはとらわれず、自分の考えた方法をつらぬいた。キリスト教を保護し、南蛮文化を取り入れ、ヨーロッパの服装を好んでするなど、新しいものをたくさん取り入れていった。戦でも、それまで主流だった騎馬隊に対抗して鉄砲を取り入れた軍を作り、従来の戦い方を大きく変化させた。

結果を求める

家臣にきびしいことで知られた信長だが、有能であれば身分に関係なく登用し、最強の家臣団をつくっていった。天下統一目前まで迫ったが、家臣の明智光秀の裏切りによって自害した。光秀は、結果を求め続ける信長のやり方に、精神的に追い込まれて本能寺の変を起こしたという説もある。

織田信長　誰が演じたのか？

戦国時代の人物は、魅力にあふれた人が多くいます。漫画や小説の題材になることもよくあります。ここではドラマや映画で取り上げられている戦国武将について調べてみました。まず、織田信長。どんな俳優が織田信長の役を演じてきたのでしょうか。

「信長協奏曲」（フジテレビ、2014年）小栗旬

「おんな城主　直虎」（NHK、2017年）市川海老蔵

「織田信長」（TBS、1989年）　渡辺謙
「秀吉」（NHK、1996年）　渡哲也
「利家とまつ～加賀百万石物語～」（NHK、2002年）　反町隆史
「江～姫たちの戦国～」（NHK、2011年）　豊川悦司
「信長のシェフ」（テレビ朝日、2013年）　及川光博
「軍師官兵衛」（NHK、2014年）　江口洋介

織田信長 / ゆかりのお城

織田信長は那古野城（現在の名古屋城のこの丸付近一帯）で誕生し、その天下統一にむけた生涯のなかで、多くの城に居城しました。ここでは、信長にゆかりのあるお城について、簡単に紹介してまいります。

◆ 清洲城（清須城）

愛知県清須市にある。平成元年（1989年）に現在の場所に再建整備されたお城。弘治元年（1555年）、信長が那古野城から移り、尾張を統一掌握したころの清須城は、天守を構えた城というよりは守護の館と同じ程度だったと考えられている。清須はその当時、尾張の国の中心地であり、京や鎌倉に連絡する往還と伊勢街道が合流する交通の要衝でもあった。この城から永禄3年（1560年）の桶狭間の戦いに出陣し、勝利した信長は、天下統一への第一歩を踏み出した。

◆ 岐阜城

◆ 安土城

安土城・大手門跡（滋賀県近江八幡府）

安土之図
（大阪城天守閣所蔵）

岐阜県岐阜市にある。岐阜城と命名したのは織田信長。かつては稲葉山城と称し、戦国時代の天文3年（1534年）、斎藤道三の居城として再興された。永禄10年（1567年）、信長がこの城を攻略し、この地方一帯を平定した。この時、地名も「井の口」を「岐阜」と改称した。当時の岐阜城は、金華山（稲葉山ともよばれた）山頂に詰城をおき山麓に居館をおいていた。現在のお城は昭和31年（1956年）に復興され、岐阜市のシンボルとなっている。

滋賀県近江八幡市安土町にあった。天正4年（1576年）から信長が約3年の歳月をかけて築城。信長は天守の完成後に岐阜から安土に移り、城の完成を見守った。その壮麗さは、この城を訪問した宣教師ルイス・フロイスの著書『日本史』などの記録によって知ることができる。5層7重の天守閣を中心とする本格的な近世の城郭の最初とされる。本能寺の変で信長が倒れたあと焼失し、現在、外構と石垣の一部を残す。城址には信長の菩提寺ともなった臨済宗摠見寺がある。

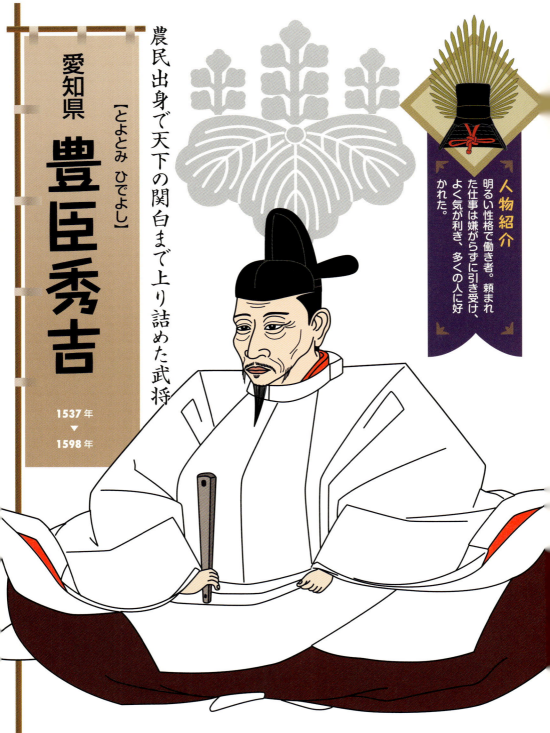

愛知県
【とよとみ ひでよし】
豊臣秀吉
1537年
▼
1598年

農民出身で天下の関白まで上り詰めた武将

人物紹介
明るい性格で働き者。頼まれた仕事は嫌がらずに引き受け、よく気が利き、多くの人に好かれた。

生涯

天文6年（1537年）
尾張国愛知郡中村に生まれ、のちに織田信長に仕えるようになる

天正元年（1573年）
丹羽長秀と柴田勝家にあやかり、姓を羽柴に改める。浅井氏・朝倉氏との戦いの功により長浜城主となる

天正10年（1582年）
中国平定のさなか、本能寺の変がおこったことを知るとただちに京都へ引き返し、山崎の戦いで明智光秀を破る

天正11年（1583年）
賤ヶ岳の戦い
政権をめぐって争った柴田勝家を破る大坂城を築いて拠点とする

天正12年（1584年）
小牧・長久手の戦い
織田信雄・徳川家康軍と戦うが和睦に終わる

天正13年（1585年）
朝廷から関白に任じられる

天正16年（1588年）
聚楽第に後陽成天皇をむかえて諸大名に忠誠を誓わせる

天正18年（1590年）
この年までに、四国・九州・関東・奥州を平定し、天下統一を完成する

天正19年（1591年）
甥の秀次に関白職を譲る

慶長3年（1598年）
死去

エピソード

幼少期
農民の子として生まれた秀吉は、将来は武将になろうと決心。16歳で家を出て織田信長に仕えた。

サル
秀吉のあだ名は「サル」。サル呼ばわりしていたのは毛利家の家臣や朝鮮の使節、庶民たちで、信長がそう呼んでいたという証拠は残っていない。秀吉の妻ねねが、秀吉の浮気を信長に手紙で相談したとき、信長は秀吉のことを「ハゲねずみ」と答えている。

信長のぞうり
織田信長に仕えはじめた頃、信長を喜ばそうと思って、冬の寒い日に信長の履くぞうりを自らのふところに入れて温めていたという。

麦飯
この世で一番美味しかった食べ物は貧乏の頃に腹が減ったときに食べた麦飯だったと家臣に語ったらしい。天下を取った後、秀吉は毎日贅沢な食事をしていたといわれている。

女好き
宣教師のルイス・フロイスは自著「日本史」のなかで、秀吉を「300人の側室をもつ男」と書いている。石田三成には恋人を寝取られたという話があり、細川忠興は朝鮮出兵中に妻へ「秀吉様に気をつけろ」と手紙を送った。

黄金好き
秀吉は黄金好きで大変有名だった。茶室、城の壁、天井、障子の骨にまで黄金を使い、天皇や貴族への贈り物も金の品にするなど、徹底していた。

2度の大地震を経験

1585年の冬、大規模な地震が中部地方に発生。これにより、琵琶湖岸の秀吉の長浜城が全壊してしまった。1596年、京都、大坂を襲った大地震では隠居後の住居にする予定だった伏見城が倒壊してしまった。

最初の主君を大名に出世させた

秀吉は信長に仕える前、今川氏の家臣だった松下加兵衛（松下之綱）に仕えていた。その後、今川氏が滅び、加兵衛は生活に困っていたという。信長のもとで出世した秀吉は加兵衛を家臣にし、天下を取った後、加兵衛を大名にまで出世させた。加兵衛の娘は柳生宗矩に嫁いだ。

敵を許す

秀吉は敵を攻撃するとき、まずは相手に対し降伏するように説得したという。応じないときは城を水攻めにしたり食料が届かなくする兵糧攻めにしたりした。秀吉は降伏する敵を許すことが多かったため、安心して降伏した敵が多かった。

豊臣秀吉　誰が演じたのか？

戦国時代の人物は、魅力にあふれた人が多くいます。漫画や小説の題材になることもよくあります。ここでは、ドラマや映画で取り上げられている、豊臣秀吉について調べてみました。どんな俳優が秀吉役を演じてきたのでしょうか。また、相手役としてどんな人がキャスティングされているのでしょうか。

「秀吉」「軍師官兵衛」
竹中直人

◀「秀吉」（NHK、1996年）　竹中直人
　→この時の信長は　渡哲也、明智光秀は　村上弘明

◀「軍師官兵衛」（NHK、2014年）　竹中直人
　→この時の信長は　江口洋介、家康は　寺尾聡

◀「清須会議」（東宝、2013年）　大泉洋
　→この時の信長は　篠井英介、柴田勝家は　役所広司

「太閤記」（NHK、1965年）　緒形拳

「黄金の日日」（NHK、1978年）　緒形拳
　→この時の信長はどちらも　高橋幸治

「おんな太閤記」（NHK、1981年）　西田敏行
　→この時の信長は　藤岡弘、家康は　フランキー堺

「太閤記」（TBS、1987年）　柴田恭平
　→この時の信長は　松方弘樹、明智光秀は千葉真一

「信長 KING OF ZIPANGU」（NHK、1992年）　仲村トオル
　→この時の信長は　緒形直人、徳川家康は　郷ひろみ

「豊臣秀吉　天下を獲る!」（テレビ東京、1995年）
　　　　　　　　　　　　　中村勘三郎（当時は勘九郎）

「天地人」（NHK、2009年）　笹野高史
　→この時の信長は　吉川晃司、家康は　松方弘樹

「真田丸」（NHK、2016年）　小日向文世
　→この時の家康は　内野聖陽、徳川秀忠は　星野源

「清須会議」　大泉洋

豊臣秀吉 ゆかりのお城

豊臣秀吉は天下統一事業のなかで、出世の足がかりとなった城、攻め落とした城、権力の誇示のための城など多くの城に居城しました。ここでは、秀吉にゆかりのあるお城について、ご紹介してまいります。

◆ 長浜城

滋賀県長浜市にある。天正元年（1573年）浅井家の滅亡後、織田信長は功績のあった秀吉に浅井家の旧領（滋賀県北部）をあたえた。秀吉は琵琶湖岸で交通の要衝でもあった今浜（現在の長浜）に自身初の持ち城となる長浜城を建てた。この時地名も変更。その後、豊臣氏が滅亡すると長浜城は取り壊され、南に下った彦根市にある彦根城の建設のために使われたといわれている。現在の長浜城は、昭和58年（1983年）に再建された。

◆ 大坂城

大阪府大阪市にある。秀吉は、天正11年（1583年）、石山本願寺跡に大坂城を築城。天守は外観5層で、鯱瓦や飾り瓦、軒丸瓦、軒平瓦などに黄金をふんだんに用いたといわれる。大坂夏の陣で豊臣氏が滅び、廃城同然となっていたが、元和6年（1620年）2代将軍徳川秀忠により再建された。しかしその後、落雷により天守が焼失し、以後昭和の復興まで266年間、大坂城は天守を欠いた城となった。現在の大坂城は、大阪府や大阪市の提案から市民の寄付により、昭和6年（1931年）に3度目の再建がなったものである。近代建築による復興天守閣の第1号で平成7年（1995年）からは2年かけて大規模な平成の改修工事が行われた。

◆ 伏見城

京都府京都市伏見区桃山町にあったお城。文禄元年（1592年）、秀吉の別荘として造営されたが、その後地震などにより倒壊し、慶長2年（1597年）木幡山（現明治天皇陵）に場所が移され、秀吉の隠居城として築城。秀吉は大坂城から移った。豊臣氏の滅亡後、江戸幕府が一国一城としたため、伏見城は廃城となった。城跡の一部には昭和39年（1964年）、遊園地が建設され、鉄筋コンクリート造の5重6階の模擬大天守と3重4階の模擬小天守などがつくられた。現在残っているのはこの建物。遊園地の閉園後、建物は京都市に寄贈され、「伏見桃山城」として整備されている。

17

生涯

天文 11 年（1543 年）
三河国（愛知県）岡崎城主の松平広忠の子として生まれる。幼名は竹千代

永禄 3 年（1560 年）
桶狭間の戦い
今川義元が敗死したのち、岡崎城に入る。翌年、織田信長と和睦する

元亀 3 年（1572 年）
三方原の戦いで、武田軍に大敗する

天正 3 年（1575 年）
長篠の戦い
織田信長と結んで武田軍を破る

天正 10 年（1582 年）
本能寺の変
知らせを受けて、滞在していた和泉の堺から伊賀越えで岡崎城へと帰った

天正 12 年（1584 年）
小牧・長久手の戦い
織田信雄と結び、豊臣秀吉と戦うが、和睦し、のちに秀吉の臣下となる

天正 18 年（1590 年）
小田原攻めに参加し、北条氏が滅びたあと関東に移封され、江戸を本拠とする

慶長 5 年（1600 年）
関ヶ原の戦い
対立していた石田三成を破る

慶長 8 年（1603 年）
征夷大将軍に任命され江戸幕府を開く

慶長 19～元和元年（1614～15 年）
大坂の陣で豊臣氏を滅ぼす

元和 2 年（1616 年）
駿府で病死する

エピソード

幼少期
6 歳のとき、今川氏の人質となり、人質期間は 19 歳までの 13 年に及んだ。

石の投げ合いを予想
今川家の人質だった頃、子供たちが 2 組に分かれて石の投げ合いをした。家康は、人数の少ない方が多い方よりも真剣に戦うと予想した。結果は家康の予想通り少ない方が勝った。

大便をもらす
三方原の戦いで、武田軍の挑発に乗って大敗した家康は、あまりの恐怖に大便をもらしたといわれている。城に逃げ帰った家康は、大便をもらした自分の情けない姿を絵描きに描かせて、城に飾っておき、カッとなったときに失敗してしまう自分を戒めていたという。

天下統一まで
桶狭間の戦いで、今川義元が織田信長に敗れると、家康は岡崎城に戻り、信長と同盟を結んで三河を平定した。姉川の戦いでは信長と連合軍をつくり、朝倉氏、浅井氏に勝利。本能寺の変で信長が亡くなった後、豊臣秀吉と小牧・長久手で戦かったが和睦し、秀吉に従った。秀吉の死後、関ヶ原の戦いで石田方に勝利し、天下を統一。江戸幕府を開いた。

倹約
信長や秀吉とは違って、家康は質素、倹約をモットーにしていたという。子の秀忠が江戸城の金具に金を使ったことを知るや、もったいないと激怒したといわれている。

子供は 16 人
家康は 11 人の息子と 5 人の娘の合計 16 人の子供に恵まれた。六男の忠輝は、家康に逆らったため追放されたという。

🔸 女性

若い頃は20歳を越えた女性を選んでいて、未亡人によく手を出していたため後家好きといわれた。権力を確立した頃は若い女性ばかりで、52歳のときに側室にしたお梶の方は13歳で39歳差、侍女だったお六の方とは55歳差と、晩年になると極端に年下女性を好んだ。

🔸 たぬき親父

秀吉との戦いでは和睦し、家臣になった家康だが、天下取りをひそかに狙っていた。家康は相手に何を考えているのかわからせないようにしたため「たぬき親父」と呼ばれた。

🔸 最期

家康は75歳で亡くなった。死因は天ぷらによる食中毒ではないかという説が有力だったが、最近では胃がんではないかという説が浮上している。徳川家の文書に、亡くなる前の家康の様子が「痩せ方が激しく、吐血と腹に大きなシコリができている」とあることから、「胃がん」と考えられているようだ。また、関ヶ原の戦いで戦死していて、その後の家康は影武者なのではという説もあったが、現在ではこれは否定されている。

徳川家康　誰が演じたのか？

小説や漫画の題材になる魅力あふれる戦国時代の武将も多くいます。ここではドラマや映画で取り上げられている徳川家康について調べてみました。どんな俳優が徳川家康の役を演じてきたのでしょうか。また、相手役としてどんな人がキャスティングされているのでしょうか。

「功名が辻」
(NHK、2006年)
西田敏行

◀「功名が辻」（NHK、2006年）　西田敏行
　→この時の信長は　舘ひろし、秀吉は　柄本明
「おんな城主 直虎」（NHK、2017年）　阿部サダヲ
「国盗り物語」（NHK、1973年）　寺尾聡
　→この時の信長は　高橋英樹、秀吉は　火野正平
「黄金の日々」（NHK、1978年）　児玉清
　→この時の信長は　高橋孝治、秀吉は　緒形拳
「徳川家康」（NHK、1983年）　滝田榮
　→この時の信長は　役所広司、秀吉は　武田鉄矢
「独眼竜政宗」（NHK、1987年）　津川雅彦
　→この時の秀吉は　勝新太郎、伊達政宗は　渡辺謙
「秀吉」（NHK、1996年）　西村雅彦
　→この時の信長は　渡哲也、秀吉は　竹中直人
「葵　徳川三代」（NHK、2000年）　津川雅彦
「真田丸」（NHK、2016年）　内野聖陽
　→この時の秀吉は　小日向文世、徳川秀忠は　星野源
「関ヶ原」（東宝、2017年）　役所広司
　→この時の明智光秀は　岡田准一、秀吉役は　滝藤賢一
「どうする家康」（NHK、2023年）　松本潤

「青天を衝け」(NHK、2021年)
北大路欣也

徳川家康 ゆかりのお城

徳川家康が天下統一し、江戸幕府を組織していくなかで、その生誕の地や新たに築城した町などのゆかりのあるお城を紹介してまいります。

◆ 岡崎城

愛知県岡崎市康生町にある。享禄4年（1531年）に松平清康（家康の祖父）が現在の地に移した。天文11年（1542年）、家康は岡崎城内で誕生した。少年時代を他国への人質として過ごしたが、永禄3年（1560年）の桶狭間の戦以降、この岡崎城を拠点に、天下統一事業をすすめていった。明治維新以後、城郭の大部分は取り壊されたが、町のシンボルとして、昭和34年（1959年）に鉄筋コンクリート造で3層5階の復興天守が築かれた。

◆ 名古屋城

◆ 駿府城

愛知県名古屋市中区にある。慶長15年（1610年）、家康が築城を命じた典型的な平城。徳川御三家である尾張藩主の居城となった。5層5階、石垣上の高さ約36メートルの天守をもつ。明治維新後も城郭は保存され、昭和5年（1930年）に国宝に指定されたが、昭和20年（1945年）5月、米軍の空襲で天守や本丸御殿が焼失。天守は昭和34年（1959年）にコンクリート造で再建された。また、平成30年（2018年）には本丸御殿の復元もなった。織田信長の生誕の地とされる那古屋城は、二の丸一帯にあったといわれている。

静岡県静岡市葵区にあったお城。家康が、天正13年（1585年）から居城として築城をはじめ、天守や本丸が完成した。その後家康は関東に移封されて駿府を離れたが、江戸幕府を開いたあとの、慶長10年（1605年）に将軍職を秀忠に譲って戻った。翌年から駿府城の修築に着手し、駿府の町割りや安倍川の治水事業にも取り掛かり、現在の静岡市の市街地の原型が造られた。駿府城は二度の震災などからほぼ全壊した。平成元年（1989年）、静岡市制100周年記念事業として、巽櫓が復元され、その後も東御門、坤櫓が復元されている。

滋賀県
明智光秀
【あけち みつひで】

本能寺の変で信長を討った武将

1528年？
▼
1582年

人物紹介

織田信長に重用されたが、京都本能寺に信長を襲い自害させた。山崎の戦いで秀吉に敗れ、逃走中土民に殺された。

生涯

享禄元年（1528年）？
土岐氏の庶流の生まれとされるが、出自は不詳。のちに織田信長に仕える

永禄11年（1568年）
足利義昭の上洛に加わり、その後、義昭や公家・寺社との交渉に活躍する

元亀2年（1571年）
近江坂本城主となる

元亀3年（1572年）
信長の石山合戦に従軍する
このあと丹波攻略を任されるが、信貴山城の戦い、有岡城の戦いなど各地の戦いにも参加する

天正9年（1581年）
丹波攻略の功を認められ、丹波一国の支配を認められる

天正10年（1582年）
本能寺の変
豊臣秀吉からの要請をうけ、信長とともに中国地方の毛利氏征討へ向かう途中、京都の本能寺で信長を急襲し、自刃に追い詰める
山崎の戦い
諸将の協力を得られず秀吉に敗れ、坂本に戻る途中、山城の小栗栖で農民に殺された

エピソード

敵は本能寺にあり

「敵は本能寺にあり」は、光秀が本能寺の変の際に発したとされる有名な言葉。

1582年、天下統一を目前にひかえていた織田信長は、光秀に中国地方の毛利氏と戦っている豊臣秀吉を助けるように命じ、信長自身も中国地方へ向かった。その途中、京都の本能寺に信長が泊まったことを知った光秀は、約1万3千の兵を率いて京都に向かい、「敵は本能寺にあり！」と宣言、夜明け前に攻撃を開始。光秀の裏切りを知った信長は「是非におよばず（しかたない）」とつぶやいたという。約100人の戦力で弓や槍で戦ったが、信長は自ら命を絶った。

家紋を変える

本能寺の変により、光秀は「裏切り者」といわれ、光秀と同じ家紋をつけていた家は一斉に家紋を変えだしたという。

裏切りを好む

明智光秀が本能寺の変を起こした理由は今も謎のままだが、ポルトガルの宣教師であるルイス・フロイスは明智光秀の性格を「裏切りや秘密の会合を好む」と書いている。

三日天下

光秀は信長を自害させると、天下統一に名乗りをあげた。この知らせを聞いた豊臣秀吉は中国地方からかけつけ、光秀と対決する。先に攻めたのは光秀軍だったが、秀吉軍が右翼側面からも攻撃してきたため、光秀軍は総崩れとなった。敗れた光秀は戦場から逃げ、坂本城に向かう途中に農民に竹槍でさされて死んだ。

【名言】

仏の嘘を方便といい、武士の嘘を武略という。

京都府 足利義昭
【あしかが よしあき】

信長に追放された室町最後の将軍

1537年 ▼ 1597年

人物紹介
室町幕府15代将軍にして室町幕府最後の将軍。第12代将軍義晴の次男。

生涯

天文6年（1537年）

室町幕府12代将軍義晴の次男として生まれる

興福寺一乗院に入り、のちに門跡となって覚慶と号する

永禄8年（1565年）

13代将軍で兄の義輝が暗殺されると幽閉されるが、のちに脱出する

永禄9年（1566年）

還俗して義秋と名乗り、のちに義昭と改名する

永禄11年（1568年）

織田信長に伴われて京都に入り、15代将軍となるが、信長と対立するようになる

天正元年（1573年）

石山本願寺・朝倉氏・武田氏などに呼びかけ信長打倒を図るが、信長に降伏して京都を追われる。室町幕府は滅びるが、その後も義昭は幕府再興を目指す

天正13年（1585年）

豊臣秀吉が義昭の養子となり、征夷大将軍に任命されることをのぞむが、拒否する

文禄元年（1592年）

文禄の役

肥前名護屋城に従軍する

慶長2年（1597年）

大坂で死亡する

エピソード

室町幕府15代将軍

　13代将軍・義輝が家臣の三好一族に追放され、やがて松永秀久（→ p.140）に殺害されると、義昭は還俗して将軍職に就こうと決意。最初は朝倉義景を頼ったが救援を拒否されると織田信長に頼ることに。京都へ入るため大義名分が欲しかった信長は、義昭を次の将軍とし、自分はその次期将軍のお伴として上洛。義昭は第15代将軍となった。

信長と対立

　義昭は第15代将軍となったが、信長も実質的な権力を握ろうとしたため、わずか1年で対立。武田信玄、上杉謙信、朝倉義景、毛利輝元、浅井長政、本願寺顕如などが義昭側についたが、結局信長に敗れてしまい、京都から追放された。室町時代は幕を下ろした。

将軍職へのこだわり

　信長に京都を追われた後も、征夷大将軍の地位にこだわった。在位期間20年中、15年間を亡命の身として過ごしながら出家するまで将軍職を返上しようとしなかった。信長が本能寺で討たれた6年後の1588年に将軍職を辞した。

側室

　正室をもたなかったが、多くの側室を抱えた。資料に残っている限り7人の女性の名前が確認されており、いずれも信長とともに上洛したときに出会った女性たちだったという。京を追われた後も義昭に従ったのは春日局のみ。彼女らとの間にもうけた男児は3人とされている。

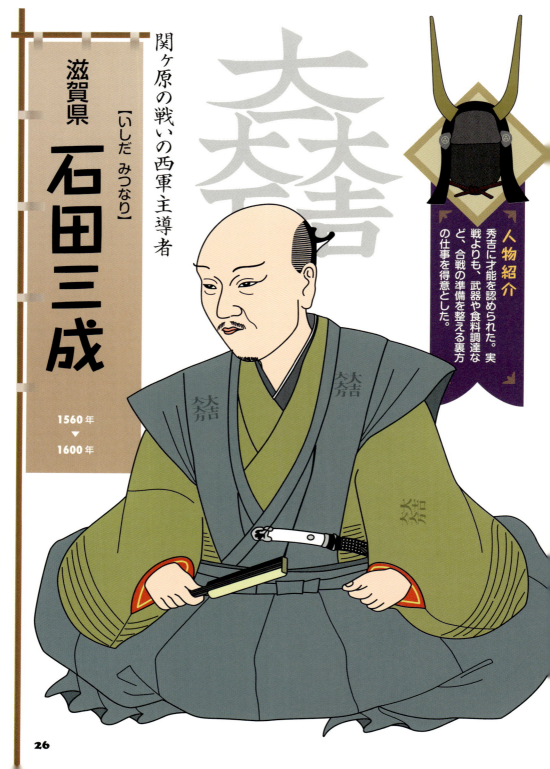

生涯

永禄3年（1560年）

隠岐守石田政継の子として、近江国坂田郡に生まれる。幼少期から豊臣秀吉に仕える

天正11年（1583年）

賤ヶ岳の戦いで軍功をあげ、秀吉に重用されるようになる

天正13年（1585年）

秀吉が関白となると、治部少輔に任命される。以後、秀吉の全国統一事業のかなめとなる

天正19（1591年）

近江の佐和山城主となる

文禄元年（1592年）

文禄の役

朝鮮にわたり、漢城に駐留して朝鮮出兵の総奉行をつとめ、翌年の朝鮮軍との戦いにも参加する

慶長4年（1599年）

秀吉の死後に対立した加藤清正らに襲撃され、佐和山城に引退する

慶長5年（1600年）

関ヶ原の戦い

徳川家康と戦って敗れ、京都の六条河原で斬首される

エピソード

三献茶

ある日、長浜城主だった羽柴（豊臣）秀吉が、鷹狩りの途中に立ち寄った寺で茶を求めた。寺の少年が最初に大きな茶碗に差し出したぬるい茶を秀吉は一気に飲み干した。2杯目はやや小ぶりの茶碗に、やや熱い茶を、3杯目は小ぶりの茶碗に熱い茶を差し出した。秀吉はこの気配りに感心して、この少年を長浜城へ連れて帰った。この少年こそ石田三成だった。

裏方で能力発揮

全国の田畑の面積や収穫量などを調べる検地でも能力を発揮したが、戦場で戦う武将たちからは嫌われていたといわれる。

毛利輝元を大将にした

秀吉が死んだ後、多くの武将たちが三成のもとを離れていき、徳川家康に味方した。三成は豊臣家を守るため家康と戦うことを決心。毛利輝元を大将にして石田軍（西軍）をまとめあげた。

最期

関ヶ原の戦いで石田軍（西軍）は、徳川軍（東軍）と戦ったが、西軍の小早川秀秋らの裏切りにより敗北。捕らえられた三成は、家康により処刑された。

書物「石田軍記」

江戸時代に出版された著者不詳の「石田軍記」によると、三成は秀吉にこびへつらいつつ、天下を奪い取ろうとする悪人として描かれていて、蒲生氏郷毒殺などの策謀を企てたとされている。

関ヶ原の合戦

　慶長5年（1600年）9月15日、美濃国関ヶ原（現岐阜県不破郡関ヶ原町）で、天下統一をすすめる徳川家康を大将とする東軍と、反徳川勢力として結集した石田三成を中心とする西軍が戦った合戦です。この戦いののち家康が天下を握ったことから「天下分け目の戦い」ともいわれています。

　豊臣秀吉の死後2年あまり、豊臣政権としては五大老、五奉行制によって保たれてはいましたが、五大老筆頭の徳川家康が政権獲得へ動きはじめたことから、その体制は大きく変化しました。豊臣家内部にも対立があり、秀吉の正室である北政所は徳川家康と、側室淀君は石田三成と手を結んだのです。

　こうして、徳川家康と石田三成の対立は深まり、関ヶ原の合戦となりました。

【戦況】
9月15日　未明
　前日から西軍の石田三成は関ヶ原に入り、戦局が見渡せる笹尾山に陣をおきました。東軍の徳川家康は未明に関ヶ原に移動し桃配山に陣をおきました。両軍とも布陣したのですが前夜からの深い霧で見通しがきかない状況でした。

9月15日　午前8時ころ
　霧が少し晴れて、東軍・井伊直政が西軍に打ってでて、決戦の火蓋は切って落とされました。総勢84,000人の西軍が、必勝の陣形で東軍を迎え撃ちます。一方、東軍は74,000人。

9月15日　午前11時ころ
　東軍の大将・家康は、一進一退の戦況を見て、形勢が不利であると判断し、本隊を激戦地まで前進させ、東軍の士気を高めました。

9月15日　正午ころ
　家康が前進し、発砲などの圧力もあり、松尾山に陣をおいていた西軍の小早川秀秋は反旗をひるがえし、同調した他軍とともに、大谷吉継の陣を攻撃しました。大谷吉継はここで自刃したのです。

9月15日　午後2時から3時ころ
　その後、西軍は総崩れとなり、小西行長・宇喜多秀家の陣が敗走、さらには石田三成も応戦しましたが挽回の余地なく敗走したのです。

　天下分け目の決戦は、開始よりわずか6時間あまりでその勝敗が決まりました。

（関ケ原町 観光ガイドブック「せきがはら巡歴手帖」などより）

関ヶ原はどこにある？

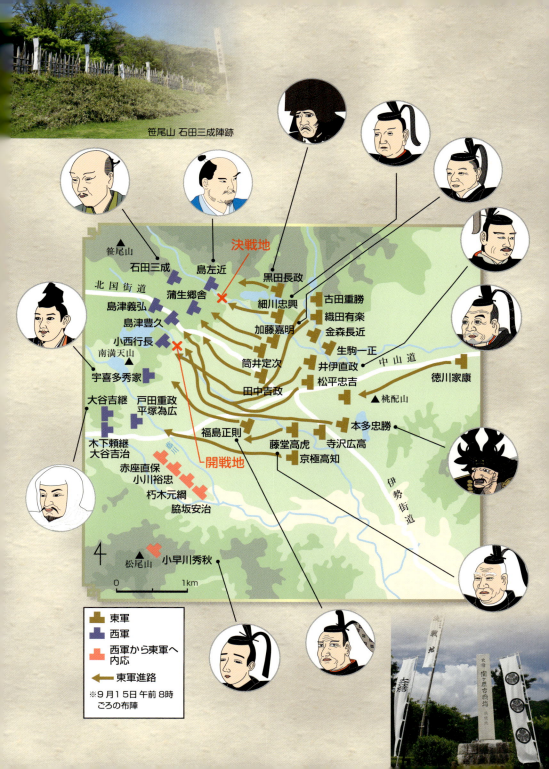

静岡県
【いまがわ よしもと】
今川義元
1519年 ▼ 1560年

「海道一の弓取り」と呼ばれ、東海三国支配を実現

人物紹介
武田氏、北条氏と同盟を結び、三河の松平氏を吸収。「海道一の弓取り」と呼ばれ、最も天下に近い人物と恐れられていた。

生涯

永正16年（1519年）
今川氏親の三男として生まれる。母は寿桂尼。幼名は芳菊丸
幼い頃に出家して、駿河国の善徳寺の僧として承芳と称する

天文5年（1536年）
兄氏輝死後、兄の玄広恵探と家督を争うが、これを倒して家督をつぐ

天文6年（1537年）
敵対する武田信虎と結び、武田氏の娘をめとる

天文18年（1542年）
織田氏をおさえて松平氏を保護下におき、のちに三河のほとんどを勢力下におく

天文23年（1547年）
善徳寺の会盟で、武田氏・北条氏と和議を結び、西側へ勢力をのばしていく

永禄3年（1560年）
桶狭間の戦い
上洛の途中、織田信長に奇襲され、討ち死にする

エピソード

桶狭間の戦い
1560年、駿河の義元は2万5000の兵を率いて織田信長が支配する尾張に攻めこんだ。信長はわずかな家臣を連れて城を飛び出し、熱田神宮に集まった2000の優秀な織田軍の兵を率いて出陣。雨が降って油断していた義元の大軍は桶狭間で休んでいた。それを知った信長は一気に攻撃。味方の兵が逃げて、取り残された義元は織田軍に討ち取られた。それまで無名だった信長は、この勝利でその名をとどろかせ、今川氏はこれをきっかけに没落していった。

馬に乗れない？
義元といえば、桶狭間の戦いで大軍を擁しながら、わずかな兵の織田軍に討たれたことがマイナスイメージになっているせいか、胴長短足なため、馬にうまく乗れずに、すぐ落馬してしまう軟弱な武将という説が伝えられている。桶狭間の戦いのときも馬ではなく輿に乗って来たといわれている。

公家趣味
お歯黒をつけ、薄化粧をして、公家風な姿をしていたといわれているが、後世の創作ではないかという説も。

義元の呪い
義元の首塚は天澤寺（静岡県）にあったが、明治のはじめに廃寺になったことにより、義元の兄の菩提寺である臨済寺の今川廟に移された。しかし、移された後、天澤寺があった場所では跡地に家を建てた家に始まり、その家を購入した3家が次々に災難に見舞われるという不可解な現象が起こり、義元のたたりではないかと噂された。

桶狭間古戦場公園
織田信長像と今川義元像（愛知県名古屋市）

愛知県

柴田勝家
[しばた かついえ]

「瓶割り柴田」の異名を持つ武将

1522年？
▼
1583年

人物紹介

織田信長第一の将といわれ、本能寺の変後は信長の後継者の地位を巡って豊臣秀吉と対立、賤ヶ岳の戦いで敗れ自害した。

生涯

大永2年（1522年）？

尾張国に生まれる
初めは織田信長の弟伸行に仕え、伸行の擁立をはかるが降伏し、のちに許されて信長に仕える

元亀元年（1573年）

近江国の長光寺城で籠城（ろうじょう）した際に、水攻めにあったが、飲料水を貯えた水瓶を割って決死の覚悟を示して出撃し、勝利する

天正3年（1575年）

信長が越前を平定すると、勝家に北庄（きたのしょう）城が与えられて、越前の支配を任される

天正8年（1580年）

一向一揆を平定して加賀を平定し、その後も、信長の北国征服の中心となって上杉氏と対峙する

天正10年（1582年）

上杉景勝と戦う。　本能寺の変　後も景勝を警戒して上洛できず、豊臣秀吉との対立を深める
お市の方（信長の妹）を妻とする

天正11年（1583年）

賤ヶ岳の戦い
豊臣秀吉に敗れ、居城の北庄城で妻お市の方とともに自害する

エピソード

信長の家臣

もともとは、織田信長の父・織田信秀、弟・信行の家臣だったが、家督争いの「稲生の戦い」で敗れる。しかし、織田信長に許され、家臣となった。

信長のナンバー2

信長のナンバー2である筆頭として各地を転戦し、数多くの武功を立てた。気の短い信長を落ち着かせる役割ももっていた。

ニックネーム

戦場では勇敢で、先頭に立って攻撃する姿から「かかれ柴田」「鬼柴田」などと呼ばれていた。長光寺城の逸話から、「瓶割り柴田」と呼ばれた。

評価

宣教師のルイス・フロイスによると、「信長の時代の日本でもっとも勇猛な武将であり果敢な人」と評価している。

最期

本能寺の変で信長が討たれると、勝家と豊臣秀吉との対立が深まった。勝家は織田家を守るため、信長の妹、歳の差25歳のお市と結婚することになった。勝家は初婚で、一説によると、長年お市を想っていたともいわれている。しかし、秀吉にすぐに攻め込まれ、北庄城へ逃げ帰り、妻のお市とともに自害した。

【名言】

貴様ら、乾いて死ぬよりも討ち死にするのが武士の誉れ、今飲んだ水は末期の水とせよ

新潟県
上杉謙信
[うえすぎ けんしん]
1530年 ▼ 1578年

「越後の戦龍」と呼ばれた武田信玄のライバル

人物紹介
酒豪で堂々たる体格と鋭い眼光で人を圧す威風を持つ反面、能筆家で和歌を好む繊細な文化人でもあった。

生涯

享禄3年（1530年）
越後守護代の長尾為景の子として生まれる。幼名は虎千代

天文5年（1536年）
父為景の死後、春日山（新潟県上越市）の林泉寺に預けられる

天文17年（1548年）
家督を継いだ兄晴景と対立し、守護の上杉定実の斡旋で、晴景の跡を継ぐかたちで 春日山城 に入る

天文19年（1550年）
定実が没し、越後の実権を握る

天文22年（1553年）
川中島の合戦
北信濃に進出してきた武田信玄と戦う。これを最初に5回にわたって川中島で信玄と戦うが、決着はつかなかった

永禄4年（1561年）
小田原城の北条氏を攻撃するが退き、上杉憲政から上杉の姓と関東管領の職を譲られる

天正元年（1573年）
信玄の死後、越中を平定する

天正2年（1574年）
剃髪して謙信と称する

天正5年（1577年）
手取川の戦いで織田信長の軍を破る

天正6年（1578年）
春日山城で没する

エピソード

越後国を統一
体が弱く無能と呼ばれた兄・長尾晴景に代わり19歳で家督を継いだあと、越後を統一。

ライバル
「越後の戦龍」と呼ばれた謙信と、「甲斐の虎」と呼ばれた武田信玄の2人は、戦場における無類の強さで知られ、川中島では5回におよぶ戦いを繰り広げた。第4次川中島の戦いでは、謙信が単騎で武田軍に突入して信玄に切りかかり、信玄は謙信の刀を軍配で3度受け止めたという。両者の戦いに勝敗はつかなかった。

敵に塩を送る
信玄が、今川氏と戦っているとき、塩の輸送を止められてしまう。甲斐には海がないため、生活に困った。ライバル関係であった謙信は、そのとき信玄に塩を送ったという。1573年、信玄死去の知らせを聞いた謙信は、食事中のはしを落として泣いたといわれる。

織田信長に勝利
1577年、力をつけてきた織田信長と手取川の戦いで大勝。謙信は「信長は案外弱く、これなら天下統一は簡単」と言ったと伝えられるが、翌年、脳溢血で倒れ死去した。

実は女性？？
謙信は、生涯独身だった。また、民衆が謙信のことを「男もおよばぬ怪力の持ち主だ」と歌ったといい、スペインの報告書には「上杉景勝の叔母」と記してあるという。こういった話から、上杉謙信は実は女性だったのではないか？という説もある。

お酒
ひとりで梅干しや味噌だけをつまみにお酒を飲むのが好きだったという。大勢のお酒は好きではなかった。

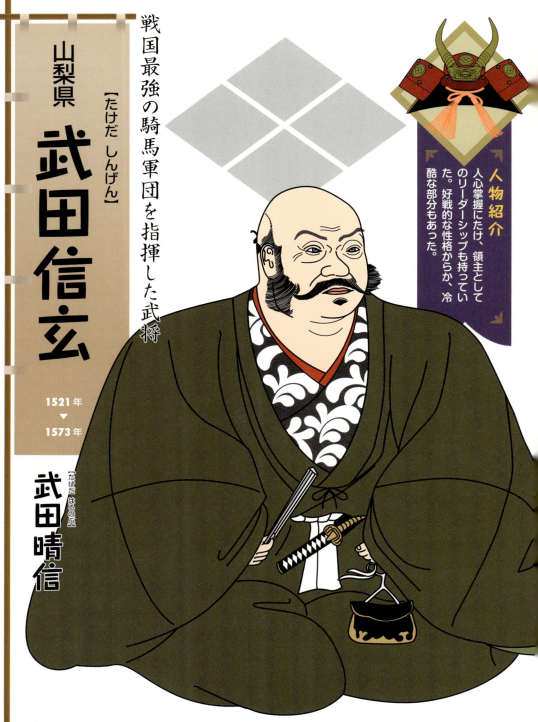

戦国最強の騎馬軍団を指揮した武将

山梨県

【たけだ しんげん】
武田信玄

1521年
▼
1573年

【たけだ はるのぶ】
武田晴信

人物紹介
人心掌握にたけ、領主としてのリーダーシップも持っていた。好戦的な性格からか、冷酷な部分もあった。

生涯

大永元年（1521年）
甲斐国守護の武田信虎の子として生まれる。幼名は太郎、元服して晴信と称する

天文10年（1541年）
父信虎を今川義元のもとへ追放し、家督を継ぐ

天文16年（1547年）
『甲州法度之次第』（分国法）を定め、領国の法体系をまとめる

天文22年（1553年）
川中島の合戦
北信濃への進出を進めるなかで、上杉謙信と戦う。これを最初に5度にわたって川中島で対決する

永禄2年（1559年）
出家して信玄と号する

永禄11年（1568年）
駿河の今川氏真を攻めて北条氏康と大戦し、三国の同盟が解消する

永禄12年（1569年）
駿河を占領し、さらに東方へ侵攻するが、氏康の遺言により北条氏とは和議を結ぶ

元亀3年（1572年）
西方へ進出し、三方原の戦いで徳川家康を破って三河に入る

天正元（1573年）
三河侵攻の陣中で病気が重くなり、帰国途中の信濃国駒場で没する
信玄の死は遺言にしたがって子の勝頼により3年間秘匿された

エピソード

⚙ 父を追放
信玄の父・武田信虎は自分に逆らう者は平気で殺し、家臣を大切にしなかったという。不仲だったこともあり、信玄は父を甲斐から追放し、武田家を継いだ。

⚙ 「風林火山」
天下統一を目指した信玄は、兵が馬に乗って敵を倒す「武田騎馬隊」という強力な軍隊を作った。軍旗に書かれた「風林火山」には、「風のように速く動き、林のように静かに構え、火のように激しく攻撃し、山のようにどっしりと動じない」という意味がある。

⚙ 甲斐の虎
武田軍は信濃、駿河、美濃の大名たちを次々と破って領地を拡大。その強さに信玄は「甲斐の虎」と恐れられた。

⚙ 日本最初の金貨
信玄は、「甲州金」と呼ばれる金貨を作ったといわれる。日本で最初の金貨といわれ、甲斐国の中だけで使うことができたらしい。

⚙ トイレ
信玄の居城・躑躅ケ崎館のトイレはやたらと広く、その中に、机や筆などが置かれていた。その場所で手紙を書いたり、作戦を練ったりしていたという。

⚙ 死を隠す
病に倒れた信玄は、息子の勝頼の力を信頼しておらず、自分が死んだら敵に攻撃されてしまうと思い、自分の死を3年間隠すように遺言してなくなった。死を隠してまで戦に勝とうとしたが、信玄が死んだことはすぐにバレてしまったという。

⚙ 【名言】
人は城、人は石垣、人は掘、情けは味方、仇は敵なり。

川中島の合戦

戦国時代、甲斐（山梨県）の武田信玄と越後（新潟県）の長尾景虎（後の上杉謙信）が、北信濃（長野県）の領有をめぐる、川中島（現長野県長野市川中島町）を中心とする地域での戦いを川中島の合戦といいます。天文22年（1553年）から永禄7年（1564年）にわたって行われ、おもな戦いだけでも下地図に示す通り5回ありました。もっとも激しい戦いであった永禄4年（1561年）9月の八幡原の戦いのみを指していう場合もあります。

天文10年（1541年）に家を継いだ武田信玄は信濃へ勢力拡大をはかり、信濃の小笠原・村上・高梨氏らを攻め滅ぼしました。敗れた村上義清らは上杉謙信に救援を求め、天文22年（1553年）初めて北信濃へ出兵して両者の戦いが始まったのです。

川中島はどこにある？

川中島付近の全景

38

一騎打ち

川中島古戦場史跡公園にある、上杉謙信と武田信玄の一騎打ちの像。

海音寺潮五郎原作のNHK大河ドラマ「天と地と」の放映（昭和44年）を記念してたてられた。永禄4年（1561年）の合戦で、武田軍の本陣に攻め入った謙信の太刀を信玄が軍配で受け止めたとされるエピソードから、馬上から斬りつける白頭巾の謙信、軍配団扇で受ける信玄の構図となっています。

両雄の一騎打ちについては、虚実、様々な説がありますが、『甲陽軍鑑』（江戸初期に成立した武田流の軍学書）には、馬上から切りつける謙信の太刀を、信玄は床几から立って軍配団扇で受けとめた、と書かれています。

八幡原の戦い（永禄4年）

謙信は妻女山に、信玄は茶臼山に陣取りました。信玄が海津城付近に軍を移動させ、集結するのを見た謙信は、9月9日の夜のうちに千曲川を渡り、海津城の対岸に軍を集結、9月10日の早朝から、戦いが始まりました。序盤は上杉軍が圧倒的に優勢でしたが、武田軍の別働隊が戦いに加わって、武田軍は窮地を免れました。

39

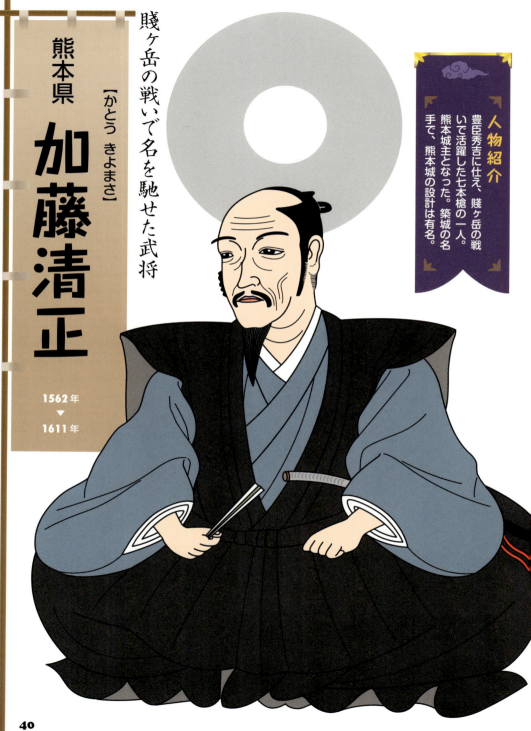

熊本県

賤ヶ岳の戦いで名を馳せた武将

【かとう きよまさ】

加藤清正

1562年 ▼ 1611年

人物紹介

豊臣秀吉に仕え、賤ヶ岳の戦いで活躍した七本槍の一人。熊本城主となった。築城の名手で、熊本城の設計は有名。

生涯

永禄2年（1562年）

尾張国に生まれる。通称は虎之助。豊臣秀吉と同郷で、幼少期から秀吉に仕える

天正11年（1583年）

賤ヶ岳の戦い

この戦いで活躍し、七本槍の一人に数えられる

天正16年（1588年）

肥後領主の佐々成政が一揆により改易されると、肥後半国を与えられて 熊本城 主となる

文禄元年（1592年）

文禄・慶長の役

文禄の役のあと朝鮮との講和をめぐって小西行長・石田三成と対立して京に謹慎となる

慶長の役でも朝鮮へ出兵するが、九死に一生を得て帰国する

慶長4年（1599年）

福島正則らとともに、石田三成の暗殺未遂事件をおこす

慶長5年（1600年）

関ヶ原の戦い

九州における東軍（徳川方）の中心として活躍する

慶長16年（1611年）

徳川家康と豊臣秀頼の二条城での会見を実現させる

エピソード

賤ヶ岳の七本槍

実母は秀吉の母と従姉妹の関係で、幼少期から25歳年上の豊臣秀吉に仕えた。清正を有名にしたのが、信長の後継者をめぐって豊臣秀吉と柴田勝家が争った「賤ヶ岳の戦い」での活躍だった。この戦いで「賤ヶ岳の七本槍」の一人として名を馳せた。

力自慢

身長190センチの大柄で、長烏帽子形という兜を被ってさらに背が高く見えたという。子供の頃から力強く相撲では負けなしだったといわれている。

げんこつ

げんこつを丸ごと口の中に入れることができる。清正にあこがれた近藤勇は、この芸を身に付けたといわれている。

虎退治

朝鮮出兵のとき、付近の山に虎が出没して周囲の人々を困らせていた。清正は単身乗り込んで、虎を槍で突き殺したともいわれる。秀吉に虎の皮をプレゼントしたこともあるという。

鬼上官

韓国では清正のことを「鬼上官」と呼んで、恐れられていた。今でも、韓国では母親が泣き止まない子供を黙らせるため「鬼上官が来るぞ！」と脅したりするという。また、清正が描かれたお札を魔除けとして飾っている。

セロリ

韓国料理に欠かせない唐辛子を朝鮮半島に持ち込んだのは清正が最初といわれる。逆に日本にはセロリを持ち込んでいる。セロリは日本語で「オランダミツバ」「清正人参」と呼ばれている。

家康・秀頼の会見後に死去

1611年、京都の二条城で徳川家康と豊臣秀頼がはじめて会うことになり、清正も出席。無事に会見が終わるよう見守っていたという。会見後、清正は熊本に帰る途中で病気になり、熊本城で亡くなった。

痔

清正は「痔持ち」のため、便所が長かった。便所で思いついたことがあると家臣を呼び、細かく命令したりしていた。

賤ヶ岳の七本槍

賤ヶ岳の七本槍とは、天正11年（1583年）4月、近江国賤ヶ岳（滋賀県長浜市）で豊臣秀吉が柴田勝家、佐久間盛政らと戦った賤ヶ岳の戦いで、秀吉の家臣で勇名をはせた加藤清正，福島正則，加藤嘉明，平野長泰，脇坂安治，糟屋武則，片桐且元の7人をいいます。ここでは簡単に7人を紹介します。

加藤清正　（参照　→40ページ）　　加藤嘉明　（参照　→152ページ）
福島政則　（参照　→78ページ）

脇坂安治

脇坂安治　天文23年〜寛永3年（1554年〜1626年）　明智光秀、豊臣秀吉に仕えた。小牧・長久手の戦，九州征伐，小田原征伐に戦功をあげる。関ヶ原の戦では豊臣方より徳川方に寝返り，慶長14年（1609年）、伊予（愛媛県）大洲藩、5万3500石に移封された。

片桐且元　弘治2年〜慶長20年（1556年〜1615年）　幼少より豊臣秀吉に仕え、秀吉死後，秀頼の補佐を託された。しかし秀頼母子と不仲となり、大坂冬の陣の直前に大坂城を去った。のちに徳川家康に従い、大和国などで4万石を領した。

平野長泰　永禄2年〜寛永5年（1559〜1628）　天正7年（1579年）より豊臣秀吉に仕え、賤ヶ岳の戦で七本槍の一人として功名をあげ、のち大和十市郡で5000石を領し，田原本（奈良県北西部、磯城郡）を拠点とした。関ヶ原の戦では東軍に属し，戦後所領を安堵される。

糟屋武則　出自は不明。播磨（兵庫県）加古川城主だったが豊臣秀吉につかえ、賤ヶ岳の戦いに奮戦し、七本槍のひとりとされた。関ヶ原の戦いには西軍に属し、所領を没収された。

片桐且元

加藤清正 / ゆかりのお城

◆ 熊本城

加藤清正は天正16年（1588年）、肥後に入り、治山治水工事や、水田の開発などに力を入れました。その功績はたいへん大きく、現在でも現役で利用されているものもあります。続けて清正は、慶長12年（1607年）、茶臼山と呼ばれた丘陵地に当時の最先端技術と労力を投じて、熊本城を築城しました。

◆ 天守復元

熊本城の城郭は約98万平方、周囲約5.3kmの広大な敷地に、大小の天守を始め、櫓49、櫓門18、城門29を備える。西南戦争（明治10年、1877年）によって多くの建物を焼失したが、宇土櫓や東竹之丸の櫓群など、築城当時の建物も残っており、13棟が国の重要文化財に指定されている。熊本城の特徴でもある石垣は、築城当時のまま残っているものがほとんど。昭和35年（1960年）に市民からの寄付金も受けながら鉄筋コンクリート造で再建された天守は、明治時代初期に撮られた写真から、瓦一枚にいたるまで忠実に外観復元された。

◆ 熊本地震と復旧・復元の活動

熊本城は、平成28年（2016年）4月14日の「平成28年熊本地震」により、震度6弱以上の激しいゆれに襲われた。城内では多数の建物が損壊し、とくに、この地震でもっとも大きく被害を受けたのが築城当時のままといわれる石垣である。約7万～10万個の築石を積み直すことになるといわれている。

その復旧・復元には2037年までの時間が見込まれており、莫大な費用を要することも見込まれている。熊本市では、復旧・復元にむけた熊本城への支援を「熊本城災害復旧支援金」として、また、「復興城主」制度として受け付けている。

（熊本城の復旧・復元に向けての取り組みの詳細は、熊本城ホームページなどでご確認ください。熊本城公式ホームページ https://castle.kumamoto-guide.jp/fukkou/）

復興天主（熊本地震後の復興天守）

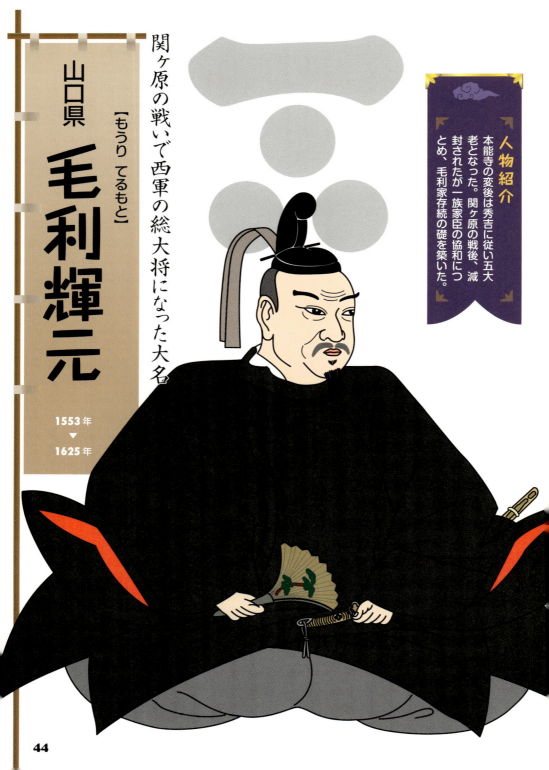

生涯

天文 22 年（1553 年）
毛利隆元の長男として生まれる。幼名は幸鶴丸

永禄 6 年（1563 年）
父隆元の急死で家督を継ぐ

天正 5 年（1577 年）
織田信長の中国進出に抗戦するが、豊臣秀吉の進撃におされる

天正 10 年（1582 年）
本能寺の変の直前に豊臣秀吉と講和する

天正 19 年（1591 年）
本拠地を広島城へ移す

文禄元年（1592 年）
文禄・慶長の役
軍の主力として朝鮮へ渡る

慶長 2 年（1597 年）
豊臣政権の五大老に任命される

慶長 5 年（1600 年）
関ヶ原の戦い
西軍の主将とみなされ、戦い後は周防・長門の 2 国に減封される
剃髪して宗瑞・幻庵と称し、家督を秀就に譲る

慶長 19〜元和元年（1614〜15 年）
大坂の陣には病をおして出陣する

寛永 2 年（1625 年）
萩城で没する

エピソード

両川に支えられる
毛利元就の孫。父・毛利隆元が 1563 年に急死し、11 歳で家を継ぐ。18 歳で祖父の元就も死去。叔父の吉川元春と小早川隆景の「両川」に支えられ、毛利家の勢力を拡大。

1582 年、秀吉が中国地方に攻め込んできたが、本能寺の変がおこったことから、和睦を結ぶこととなり、秀吉に従った。

秘密にできない
輝元は、祖父の元就から軍事上の秘密の戦略を聞いても、それをすぐ他人に話してしまい、元就をあきれさせたという。

吉川広家
関ヶ原の戦いでは、当時、徳川家康とともに五大老の地位にあったことから、石田三成から西軍の総大将にされたが、戦いには参加せず、大坂城に詰めていた。いとこの吉川広家（吉川元春の三男）は、石田軍の西軍が負けるとの思いから、輝元には内緒で、敵の徳川家康と連絡を取り、「西軍を裏切れば毛利家の領地は減らさない」との約束をもらった。

合戦は西軍が敗れたため、輝元は領地を取り上げられそうになったが、勝利した東軍に味方した吉川広家が、家康に自分の領地を輝元に譲りたいと申し出たため、毛利家は取りつぶされずにすんだという。

萩と輝元
江戸幕府から領地を周防・長門の 2 国とされたことから、1604 年に長門・萩城（現山口県萩市）の築城を開始して居城とした。政治の中心地として毛利家 13 代が萩を拠点とした。城は指月山の山頂を詰の丸とし、山麓に本丸などを設けた平山城。本丸には五重の天守閣をつくった。幕末に至って海防上の理由から拠点を萩から山口に移し、現在は城趾のみが残っている。

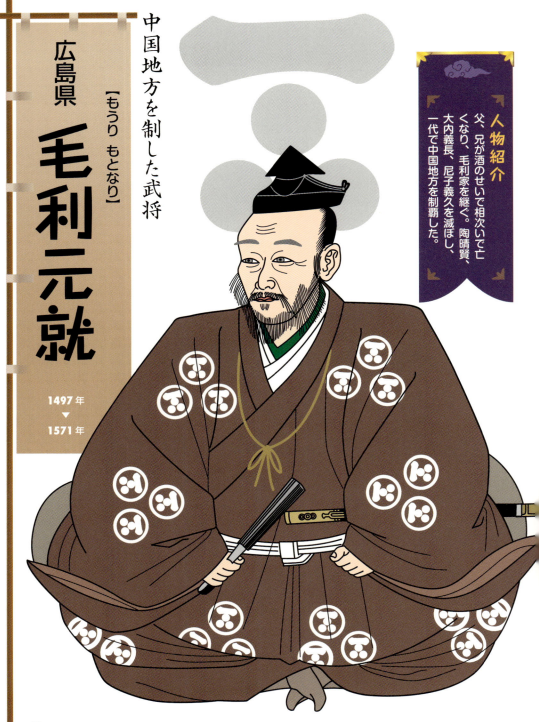

毛利元就
【もうり もとなり】

広島県

中国地方を制した武将

1497年 ▼ 1571年

人物紹介
父、兄が酒のせいで相次いで亡くなり、毛利家を継ぐ。陶晴賢、大内義長、尼子義久を滅ぼし、一代で中国地方を制覇した。

生涯

明応6年（1497年）

毛利弘元の子として生まれる。幼名は松寿丸

大永3年（1523年）

家督を継ぐ

天文9年（1540年）

大内氏の援軍もあり、尼子晴久の軍を破る。のちに2人の息子を吉川氏・小早川氏の養子として安芸（広島県）の勢力を固める

天文15年（1546年）

家督を子の隆元に譲るが、そのあとも実権を握り続ける

天文26年（1551年）

大内義隆が家臣の陶晴賢に倒されたのを機に、安芸・備後に支配を広げる

弘治元年（1555年）

陶氏を滅ぼして周防・長門（山口県）を手に入れる

永禄6年（1563年）

隆元の急死により家督を継いだ孫の輝元を後見する

永禄9年（1566年）

出雲の尼子義久を降伏させ、のちには九州・伊予にも進出する

元亀2年（1571年）

吉田郡山城（広島県安芸高田市）で死去する

エピソード

⚜ 3本の矢

　元就には3人の息子（隆元・元春・隆景）がいた。息子たちに矢を1本ずつ渡し、「その1本の矢を折ってみろ」といい、息子たちは簡単に折った。次に3本まとめた矢を渡し、「この矢を3本まとめて折ってみろ」といい、息子たちは折ろうとするが、まとめた矢は折れなかった。元就は息子たちに「1人では無理なことでも、3人が力を合わせれば、強固になる」と教えたという。この話は元就が晩年に息子たちに与えた教訓として有名であるが、元就の晩年には長男の隆元はすでに亡くなっているため、後世の創作といわれている。

⚜ 両川

　次男の元春を吉川家に養子に出し、三男の隆景を小早川家に養子に出して、毛利家を支える体制をととのえた。吉川と小早川、両家の名字に「川」という字が入っていることから「毛利両川体制」といわれる。

⚜ 織田信長

　織田信長と毛利家は仲が悪いイメージがあるが、それは元就が亡くなってからの話で、信長が勢力を拡大していった頃には元就はすでに老齢で、対決が実現することはなかった。

⚜ 手紙

　元就は、手紙を書くのが大好きだった。息子たちに宛てた手紙は「兄弟、仲良くするように」という内容で3メートル近くあり、同じ内容をくり返し書くので、息子たちにはくどいと思われたらしい。

⚜ 酒

　祖父、父、兄と、皆早死になのは酒の飲みすぎが原因であると考えた元就は、息子の隆元に「酒はわきまえて飲め」と手紙を送っている。孫の輝元が酒を覚えたと知ると、「わしが長生きなのは酒を飲めなかったからだ」と戒めた。

武田氏を滅ぼした最後の領主

山梨県
【たけだ かつより】
武田勝頼

1546年
▼
1582年

【すわ かつより】
諏訪勝頼

人物紹介
武田信玄の死で家を継ぎ、勢力拡大を画策したが、織田・徳川の連合軍との長篠の合戦に大敗し勢力を弱めた。

生涯

天文 15 年（1546 年）
武田信玄の子として生まれる。幼名は四郎

永禄 8 年（1565 年）
兄の義信が信玄によって反逆罪で排せられたのちに嗣子となり、織田信長の養女を妻とする

天正元年（1573 年）
信玄の病没後に家督を継ぐが、信玄の遺言にしたがい、その死を 3 年間隠した

天正 2 年（1574 年）
遠江へ侵攻して高天神城を落とし、徳川家康を脅かす

天正 3 年（1575 年）
長篠の合戦
三河へ侵攻して長篠城を包囲するが、織田・徳川軍に大敗する

天正 6 年（1578 年）
上杉謙信の跡継ぎ争いに介入し、同盟していた北条氏政と対立する

天正 9 年（1581 年）
織田軍の信濃侵攻をうけ、韮崎に新府城を築いて移る

天正 10 年（1582 年）
新府城に火をかけて甲斐の岩殿城へ逃れるが、小山田信茂の裏切りにより、天目山麓の田野で自害する

エピソード

⚉ 不吉な予兆
父・信玄の葬儀後、諏訪神社に参拝した際に槍が折れ、続いて高遠城を訪れた時にも橋が一部壊れて供の者が死亡するという不吉な体験をした。1579 年春には、浅間大社の杉林から武田家滅亡を予言するような怪しげな煙が立ち上がっているという話を耳にする。しかし勝頼は、「死の覚悟さえあれば、ほかのことなど気にするまでもない。武田家を滅亡させることができるのは織田信長だろうが、たとえ滅びたとしても、信長に降伏などするものか」と語ったといわれている。

⚉ 長篠の戦い
1575 年、勝頼は長篠城を攻めたが、家康と信長の大軍が長篠城を助けるため集まった。山県昌景ら家臣は、勝頼に戦わずに引きあげることをすすめたが、これを無視して騎馬隊を突進させた。しかし、信長が用意した大量の鉄砲によって大敗した。

⚉ 見殺し
長篠の戦い後、家康は武田軍の拠点である高天神城に攻撃を開始。しかし勝頼は攻撃されたときに軍勢を送らなかったため、城兵はすべて殺されてしまう。さらに家臣たちの反対を押し切って新府城を建てたため、武田家の家臣たちは勝頼を信用しなくなった。

⚉ 最期
その後、信長に新府城を攻められ、逃げる途中で家臣・小山田信茂に裏切られ自害。これにより、武田氏は滅亡した。

⚉ 首を蹴飛ばされる
勝頼の首検分をした際、信長は勝頼の首に「お前の父である信玄は、たとえ首になっても京に上りたいと言っていたと聞く。父の志を継いで首だけで上洛するがよい」と、信玄のことにまで触れその首を蹴飛ばしたという。

長篠の合戦

天正3年(1575年)5月、三河の設楽原(現愛知県新城市)における武田勝頼と、織田信長・徳川家康の連合軍との戦いです。

勝頼は武田信玄の遺志を継ぎ、京へ向けて兵をすすめ、家康の勢力下にあった遠江の高天神城(現静岡県掛川市)を攻略、さらに長篠城(現愛知県新城市)に迫りました。家康は盟友でもある信長へ援軍を求めたのです。信長は出陣の時からこの合戦で鉄炮を用いることを計画し、3000挺を準備しました。

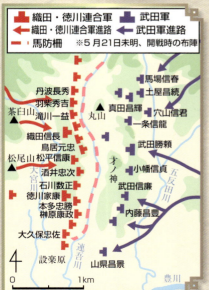

茶臼山に陣をおいた信長は、騎馬隊で攻め込む武田軍の戦法を、馬防柵を設けて防ぎました。鉄砲隊の活躍で勝頼を大敗させ、信玄以来の多くの武将を失ったのです。以降、武田の勢力は急速に衰えました。

前田利家　武田勝頼

長篠はどこにある？

長篠合戦図屏風は、多くの作品が残されているが、これは成瀬本といわれる、尾張徳川家の家老であった犬山藩藩主、成瀬家に伝わる作品。(「長篠合戦図屏風」犬山城白帝文庫蔵)

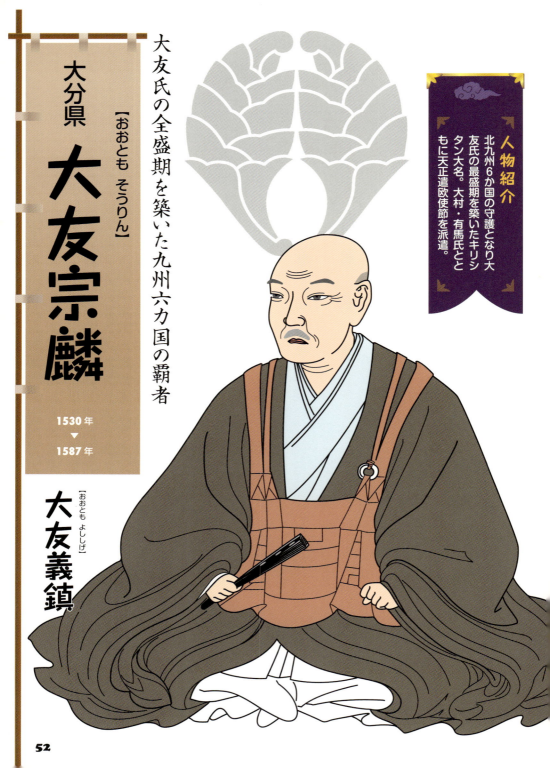

大分県
大友宗麟
【おおとも そうりん】

大友氏の全盛期を築いた九州六カ国の覇者

1530年 ▼ 1587年

【おおとも よししげ】
大友義鎮

人物紹介
北九州6か国の守護となり大友氏の最盛期を築いたキリシタン大名。大村・有馬氏とともに天正遣欧使節を派遣。

生涯

享禄3年（1530年）
大友義鑑の長男として生まれる。幼名は塩法師丸

天文19年（1550年）
廃嫡事件で父義鑑が倒され、家督を継ぐ

天文20年（1551年）
大友義隆が家臣の陶晴賢に倒されたのを機に、宗麟は北九州に勢力をのばし、伊予へ侵攻する。このころ、ザビエルを府内（大分市）に招いて、布教を許す

永禄2年（1559年）
九州進出を図る毛利氏との戦いが始まり、毛利元就が没するまで続く

天正元年（1573年）
家督を子の義統に譲るが、その後も実権を握り続ける

天正6年（1578年）
耳川の戦いで島津氏と戦って敗れ、以後、大友氏は衰退していく
キリスト教の洗礼を受けてドン＝フランシスコと号する

天正15年（1587年）
島津氏の北上に対して宗麟は豊臣秀吉に救援を求め、秀吉の九州攻めが行われ、島津氏は秀吉に降伏する
津久見で病没する

エピソード

大友家
宗麟は、豊後（大分県）の守護大名の嫡男として生まれた。しかし父は妾との間に生まれた子を溺愛しており、妾の子に家を継がせようとしたため、宗麟派の家臣たちによって父と妾の子もろとも討たれてしまう。そのため宗麟が大友家を継いだ。

領土拡大
大友家は、昔から周防国の大内家と争っていたが、大内家の当主・大内義隆が家臣・陶隆房の下剋上を受け自害。隆房が宗麟に大内家を継いでもらいたいと伝えてきた。こうして領土が拡大していった。

キリスト教を布教
宗麟はフランシスコ・ザビエルを本拠の府内に招き、キリスト教の布教を支援した。イエズス会の力を使い、南蛮貿易や西欧文化を発展させるためだった。大砲や火薬の製法も習得して、やがて、攻めてきた安芸の毛利元就軍を撤退させた。戦のためとはいえ、領内でキリスト教を布教させることは一部の家臣からの反感も多かったらしく、妻の奈多夫人も激怒していたという。

キリスト教徒に
宗麟は本気でキリスト教にひかれるようになっていき、長男に家督をゆずり、仏教から鞍替えし、洗礼を受けて正式にキリスト教徒になった。

浮気癖
昼間から女性をはべらせて酒を飲んだり、家臣の妻を妾にしたりと、あまりの浮気癖に激怒した奈多夫人が、宗麟に呪いをかけようとしたこともあったという。宗麟は、この「呪い騒動」の恐怖で家出。城下町でうずくまっているところを家臣に発見されている。

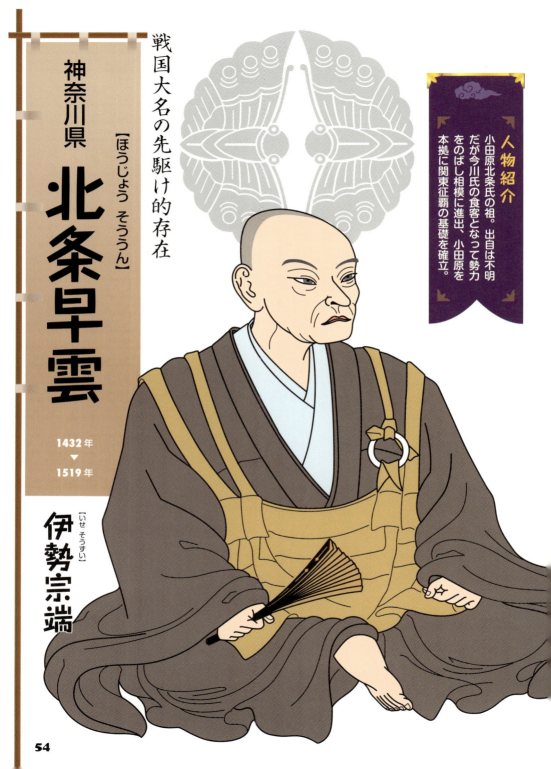

生涯

永享4年（1432年）
室町幕府の政所執事伊勢氏の一族に生まれる。1456年説もある

文明元年（1469年）
駿河に下って今川氏親（妹の子）を補佐する

延徳3年（1491年）
堀越公方足利政知の子茶々丸を討って伊豆を奪い戦国大名となる。さらに相模に進出して 小田原城 を奪って関東に進出する

永正9年（1512年）
相模岡崎城を攻略する

永正13年（1516年）
三浦義同・義意父子を討って三浦氏を滅ぼし、相模を征服する

永正15年（1518年）
家督を子の氏綱に譲る

永正16年（1519年）
伊豆の韮山城で、88歳で没する

ゆかりのお城　小田原城

神奈川県小田原市にある。明治維新後に廃城となったが、昭和35年（1960年）に現在の天守が復興された。

エピソード

最初の戦国大名
早雲は、もとは室町幕府の役人。伊豆を支配していた足利氏が後継ぎ争いを起こして混乱していたとき、わずかな兵を率いて伊豆と小田原城を攻撃して領土を手に入れた。実力で領主となった早雲は、戦国大名の先駆者といわれている。

名前
早雲は法名であることから、自ら「北条早雲」と名乗ったことはなく、「伊勢宗瑞」と名乗っていた。北条氏を名乗ったのは息子の代から。

馬泥棒
馬泥棒が捕らえられ早雲の前に引き出された際、馬泥棒が早雲に対し「私はいかにも馬泥棒だが、あなたは国を盗んだのだから、私の方が罪は軽いでしょう」と言い放った。これを聞いた早雲は怒るどころか笑い出してしまい、機転の利いた発言に感心し、馬泥棒を許したといわれている。

夢
早雲は、2本の大きな杉の根元をかじって倒したネズミが巨大なトラに姿を変えるという不思議な夢を見た。この夢を「関東を支配していた上杉氏を、ねずみ年生まれの自分が倒す」という意味だと思い、喜んで自らの印鑑にトラの模様をつけたという。

長寿の秘訣
戦国時代の平均寿命は30～50歳といわれたなか、早雲は88歳まで生きたといわれる。長生きの秘訣は、夜は8時より前に寝て、朝は4時に起き、行水をした後、午前6時より前に出勤という早寝早起きの規則正しい生活ぶりだったこと、干し栗や梅干しを好んで食べ、質素な食生活を続けていたことといわれる。

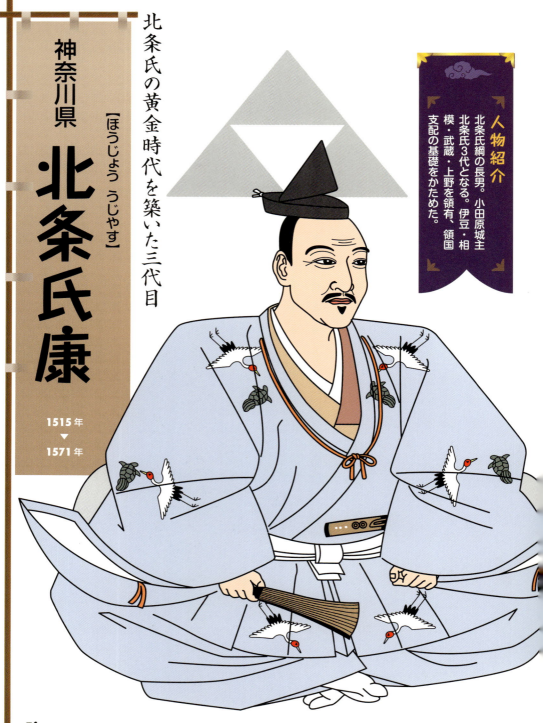

神奈川県

北条氏康

[ほうじょう うじやす]

1515年 ▼ 1571年

北条氏の黄金時代を築いた三代目

人物紹介

北条氏綱の長男。小田原城主北条氏3代となる。伊豆・相模・武蔵・上野を領有、領国支配の基礎をかためた。

生涯

永正12年（1515年）
北条氏綱の子として生まれる。通称は新九郎

享禄3年（1530年）
北条氏が上杉氏を破った小沢原の戦いで初陣をかざる

天文7年（1538年）
国府台の戦いで足利義明を討つ

天文10年（1541年）
父氏綱没後に家督を継ぐ

天文15年（1546年）
河越の戦いで関東管領の上杉憲政・古河公方の足利晴氏らに大勝する

天文21年（1554年）
上杉憲政を追いつめ、越後の長尾景虎（上杉謙信）のもとへ追う
足利晴氏に、子の義氏（氏康の甥）へ家督を譲らせる

天文23年（1554年）
氏康が駿河へ兵を進めると、今川義元・武田信玄との三国同盟が結ばれる

永禄2年（1559年）
子の氏政に家督を譲るが、その後も小田原城で氏政を後見する

永禄4年（1561年）
上杉謙信が小田原城を攻めるが、これを退ける

永禄12年（1569年）
駿河へ進出する武田信玄に対するため、上杉氏との同盟を成立させる

元亀2年（1571年）
小田原城で没する

エピソード

🔘 国府台の戦い
16歳で初陣を飾った氏康は、父の氏綱とともに幾多の戦いに参戦、1538年の国府台の戦い（千葉県市川市）では、敵の総大将・足利義明を討ち取った。その後北条氏第3代当主となった。1546年の河越の戦い（埼玉県川越市）で勝利し、関東の支配を固めた。

🔘 酒は飲むなら朝
氏康は家臣への教訓として「酒は朝飲むように」という言葉を残したといわれている。朝飲むと一日の始まりから勢いがつくと考え、大酒ではなく3杯まで飲めとした。夜飲めば深酒をして体調を崩しやすく、失敗に繋がりやすいということから。

🔘 氏康の向こう傷
氏康の顔には2か所の向こう傷があったとされている。敵に一度も背を見せなかったことから、「氏康の向こう傷」と呼ぶようになった。

🔘 趣味
蹴鞠や和歌の趣味をもっていたといわれている。

🔘【名言】
用兵術で、これはと思ったいい案があったならば、いくら身分の低い者でもかまわないから、直接、氏康まで申し出よとした。

北条氏政
【ほうじょう うじまさ】

神奈川県

関東に最大版図を築いた四代目

1538年 ▼ 1590年

人物紹介
小田原城主北条氏の4代目。北条氏の勢力拡大に努めたが、豊臣秀吉による小田原攻めで降伏して切腹。関東支配を終結させた。

生涯

天文7年（1538年）
北条氏康の子として生まれる。通称は新九郎

天文23年（1554年）
武田晴信の娘を正室に迎える

永禄2年（1559年）
家督を継ぎ、北条氏第4代当主となる

永禄7年（1564年）
国府台の戦いで里見義弘の軍と戦い勝利、その後岩槻城を攻略して武蔵を平定する

永禄12年（1569年）
上杉氏との同盟が成立する

元亀2年（1571年）
武田氏との同盟が成立し、上杉氏との同盟は破れる

天正6年（1578年）
武田氏との同盟が破れ、翌年から武田氏と戦う

天正8年（1580年）
子の氏直にも家督を譲ったあとも、後見として実権を握る

天正18年（1590年）
豊臣秀吉の小田原攻めにあい、籠城のち降伏して切腹を命じられる

エピソード

汁かけご飯
氏政が父の氏康と食事をしていた時の話。

当時は食事を終える時、最後にごはんの椀に汁をかけて食べるのが普通で、そうすることで米粒を残さずに食べることができる。氏政は汁をかけたが少なかったので飯に何度も汁を継ぎたしたため、それを見た氏康が毎日食べる飯なのにそれにかける汁の分量も満足に測れないのかと嘆き、北条家も次代で終わりだと予言めいた言葉を残したとされる。

結果、豊臣秀吉の小田原攻めによって、小田原城は落城し、氏政は切腹。約100年続いた北条氏は滅びた。

麦ご飯
ある時、農民が麦を刈っている様子を見ていた氏政は、あの採れたての麦でお昼ご飯にしたいとせがんだ。採れたての麦はすぐに食べることはできないのを氏政は知らなかった。その話を伝え聞いた武田信玄はあまりに無知な氏政を大笑いしたといわれている。

小田原評定
豊臣秀吉に攻められて小田原城を包囲された北条氏は、今後どうするか、家臣たちと評定を行った。結局結論は出なかったため、「小田原評定（いつまでたっても結論が出ない会議）」という言葉が生まれた。

【辞世】
雨雲の おほえる月も 胸の霧も はらいにけりな 秋の夕風

山形県 上杉景勝 [うえすぎ かげかつ]

人前で笑わなかった武将

1556年 ▼ 1623年

人物紹介

叔父上杉謙信の養子。謙信没後に遺領を継承。本能寺の変後は豊臣秀吉に帰参。会津120万石を領したが、関ヶ原の戦い後、米沢30万石に減封される。

生涯

弘治元年（1556年）
長尾政景・上杉謙信の姉の間に生まれる。通称は喜平次

永禄7年（1564年）
父政景の急死後、謙信に養われる

天正3年（1575年）
上杉の姓と景勝の名を与えられる

天正6年（1578年）
謙信の死後、上杉景虎との後継争い（御館の乱）に勝利して武田勝頼の妹を妻とする

天正10年（1582年）
織田勢に攻められ窮地に陥っていたが、本能寺の変で急死に一生を得る

天正14年（1586年）
上洛して豊臣秀吉に臣従する

文禄元年（1592年）
文禄の役
朝鮮半島の熊川に出陣する

慶長3年（1598年）
会津に移封されたあと、豊臣政権の五大老の一人となる

慶長5年（1600年）
関ヶ原の戦い
石田三成と結んで徳川家康打倒の兵をあげるが、家康に降伏する

慶長6年（1601年）
出羽の米沢に移封・減封される

元和9年（1623年）
米沢城で没する

エピソード

上杉氏の当主
上杉謙信の甥。謙信の死後、謙信の養子・景虎と後継争いをして勝利、上杉氏の当主になった。米沢藩の初代藩主ともなった。

秀吉に接近
当主になった後、織田信長らに攻撃されて、上杉家滅亡の危機になったが、本能寺の変により九死に一生を得た。その後、信長の後継争いに勝利した豊臣秀吉の傘下に加わり勢力を拡大。豊臣政権で五大老の役職を担った。

関ヶ原の戦い
関ヶ原の戦いでは石田軍（西軍）に参加したが敗北。家臣である直江兼続と共に徳川家康に謝罪。領地を削られたが上杉氏は存続した。財政は苦しくなるも、景勝は家臣を減らさなかった。

右腕
11歳のとき、5つ年下の直江兼続を家臣として招く。謙信が死去して景勝と上杉景虎との間で起きた家督争い（御館の乱）で、兼続は景勝に味方し、金蔵へ乗り込み、遺産を押さえて勝利。以後、兼続は景勝の右腕として要職を歴任した。

無口
景勝は、若い頃から無口で無表情といわれ、感情を出すことはほとんどないといわれていた。生涯で笑ったのは猿が景勝のモノマネをしたのを見たときだけといわれている。

いびき
戦場に行っても、感情を出すことはほとんどなく、鉄砲の弾や矢などが飛び交う中、いびきをかいて寝ていたといわれている。

【名言】
大将は近きとて危うき道は行かざるものなり

61

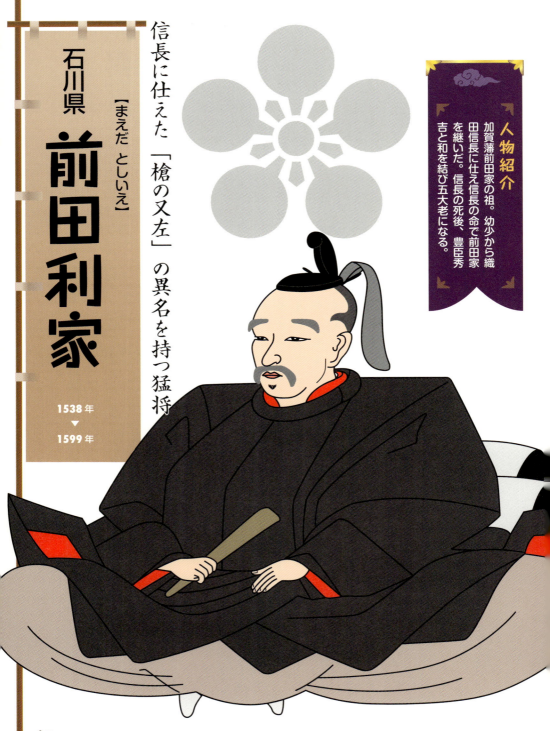

石川県
前田利家
【まえだ としいえ】

1538年 ▼ 1599年

信長に仕えた「槍の又左」の異名を持つ猛将

人物紹介
加賀藩前田家の祖。幼少から織田信長に仕え信長の命で前田家を継いだ。信長の死後、豊臣秀吉と和を結び五大老になる。

生涯

天文7年（1538年）
尾張の前田利春の子として生まれる。幼名は犬千代。幼少期から織田信長に仕え、多くの戦功をあげる

天正2年（1574年）
柴田勝家の与力となる

天正9年（1581年）
信長から能登国を与えられ、七尾城に入る

天正11年（1583年）
賤ヶ岳の戦い
勝家を裏切って豊臣方の勝利に貢献する。柴田氏の滅亡後に加増されて　金沢城　に移る

天正12年（1584年）
小牧・長久手の戦い
徳川家康に応じた佐々成政を破る

文禄元年（1592年）
文禄の役
名護屋城に布陣する

慶長3年（1598年）
家督を子の利長にゆずる
秀吉の死後、秀頼の後見として大坂城に入る

慶長4年（1599年）
大坂で没する

エピソード

◉ かぶき者
180センチの巨体にもかかわらず、女物の派手な着物をだらしなく身に着けて、巨大な朱色の槍を肩に担いで歩き「かぶき者（派手な身なりで常識を逸脱した行動をとる者）」として有名だった。

◉ 初陣
1552年（天文21年）の萱津の戦い（尾張国萱津、海津合戦ともいう）で、信長の兵士だった14歳の利家は6メートルもの槍を持ち敵将の首を取ってきた。それを見た信長は、「肝に毛が生えた小僧がおるわ」と感心したという。

◉ 矢が刺さったまま攻撃
1556年、信長の弟・信行（信勝）が、反旗をひるがえしたことで起こった稲生の戦い（現在の名古屋市西区付近）に利家は参戦した。利家は、敵将の放った矢を右目に受けてしまう。味方の兵士がいったん退くことを促したが、利家は「敵に背は向けられない」といい、矢が刺さったままの状態で攻撃し、自分に矢を射った敵将の首を取ってきたという。

◉ 槍の又左
利家は元服後に又左衛門と名乗っていたことから「槍の又佐」の異名でおそれられていた。

◉ 信長との関係
利家は美少年だったといわれ、信長に夜のお相手もさせられたといわれる。晩年、信長は利家との同性愛の関係をみんなの前で暴露したという。利家はそれが自慢であったといい、まわりにうらやましがられたといわれている。

● クビを宣告

気性の荒い信長と利家は、似た者同士であり、利家は信長に重用された。利家は順調に出世していった。ところが、信長が気に入っている茶坊主の拾阿弥（じゅうあみ）と利家が喧嘩になり、気がついたときには利家は拾阿弥を斬り殺してしまっていた。それに激怒した信長は利家にクビを宣告した。

● 許しをもらう

拾阿弥を殺してしまった利家は、信長の許しを得ようと、信長と今川義元が激突した桶狭間の戦いに勝手に参加し、敵将の首を3つも持ってきた。それでも信長に許してもらえなかった利家は、翌年起こった信長と斉藤龍興が激突した森部の戦いに勝手に参加し、足立六兵衛を討ち取り、ようやく信長に復職が許された。

● 秀吉の家臣に

信長の死後、柴田勝家と羽柴秀吉（豊臣秀吉）の間で、信長の後継争いがおこった。天正11年（1583年）に賤ヶ岳の戦いが勃発し、利家は勝家の補佐役として参加した。しかし、利家は秀吉とも仲が良かった。戦いは秀吉が優勢。利家は秀吉軍と一度も刀を交えることなく勝手に撤退し、戦いに勝利した豊臣家の家臣となった。

● 家康を暗殺？

豊臣秀吉の死から約半年後、病気で寝込んでいた利家のところに徳川家康がお見舞いに訪れた。天下を取ろうとする家康から豊臣家を守るため、利家は布団の下に刀をかくしていて、家康暗殺を考えていたといわれている。

● 前田慶次は利家が苦手

利家の義理の甥、前田慶次（利益）はかぶき者として有名だが、説教ばかりする利家が苦手だった。ある日、利家を自宅に呼んだ慶次は、利家に対し「お風呂が沸いています」とすすめた。利家が風呂に入ると、水風呂だったため、激怒したが、慶次はすでに馬に乗って前田家を去っていたという。

兼六園 〜加賀百万石の庭園〜

兼六園は、水戸偕楽園（茨城県）、岡山後楽園（岡山県）とならぶ日本三名園の一つ。江戸時代の代表的な大名庭園として、加賀藩の歴代藩主により形づくられてきました。金沢市の中心部に位置し、四季折々の美しさを楽しめる庭園として、多くの観光客に親しまれています。

延宝4年（1676年）、5代藩主・前田綱紀が自らの別荘を建てて、その周りを庭園化したのが、この兼六園の庭づくりの始まりだと言われています。その後、歴代の藩主によって手をかけられ、広大な土地に、池、築山、御亭を配置した、廻遊式の庭園となり、様々な時代の庭園手法が駆使され、総合的につくられました。いくつもの池とそれを結ぶ曲水、掘りあげた土で山を築き、多彩な樹木を植栽しており「築山・林泉・廻遊式庭園」とも言われています。

◆ 瓢池と夕顔亭をのぞむ

◆ 兼六園の冬景色

前田利家 ゆかりのお城

◆ 金沢城

◆ 玉泉院丸庭園

◆ 橋爪門

金沢城の歴史は、天文15年（1546年）、本願寺による金沢御堂の創建に始まります。天正11年（1583年）に前田利家が入城し、本格的な城づくりが始まり、加賀藩前田家百万石の居城として発展しました。明治以後は陸軍の拠点として、終戦から平成7年（1995年）までは国立金沢大学のキャンパスとして利用され、金沢大学の移転後、平成13年（2001年）9月に「金沢城公園」として、金沢御堂の創建から450余年を経て、一般に開放されました。

平成26年度（2014年度）までに、河北門の復元、いもり堀の水堀化、橋爪門二の門の復元、玉泉院丸庭園の再現などの整備がすすめられました。

（石川県ホームページより http://www.pref.ishikawa.lg.jp/）

◆ 霞ヶ池の徽軫灯籠と内橋亭

◆ 成巽閣

文久3年（1863年）、12代藩主・前田齊廣が奥方のために兼六園に建てた建物。金沢城から見て巽の方角（東南）にある事などから、巽御殿と呼ばれ、現在、成巽閣とされています。

65

岡山県
宇喜多秀家
[うきた ひでいえ]
1572年
▼
1655年

関ヶ原の戦いで敗れ、八丈島に流された大名

人物紹介
父の死後、備前・美作（岡山県）を相続し、秀吉の重臣となる五大老の一人。関ケ原の戦い後、八丈島に流罪。

生涯

元亀3年（1572年）
宇喜多直家の子として生まれる。幼名は八郎

天正9年（1581年）
父直家の没後、家督を継ぎ、秀吉の一字を与えられて秀家と名乗るようになる

天正10年（1582年）
備中高松城の攻略時に大軍を派兵して、秀吉から備中の一部9万石を授けられる
この後、秀吉の重臣として、四国攻め・九州攻め・小田原攻め・文禄・慶長の役でも活躍する

天正17年（1589年）
秀吉の養女で前田利家の娘（秀吉の養女）豪姫を妻とする

天正18年（1590年）
岡山城の大改築を始める

慶長3年（1598年）
五大老の一人となる

慶長5年（1600年）
関ヶ原の戦い
西軍の将帥となるが敗れて島津義弘をたよって薩摩に落ち延びる

慶長11年（1606年）
八丈島に流される

明暦元年（1655年）
八丈島で、84歳で死去する

エピソード

秀吉の家臣
織田信長の家臣だった父・宇喜多直家の死後、秀家は11歳で家を継ぎ、豊臣秀吉に仕えた。豊臣秀吉から信頼され、秀吉の養女・豪姫と結婚した。

五大老になった理由
秀家は五大老に就任したが、その理由は秀家の母・円融院の美貌を女好きの秀吉が気に入ったからといわれている。

豪姫と最後の別れ
関ヶ原の戦いで、石田軍（西軍）の副大将として戦ったが敗北。秀家は逃げる途中の大坂で、妻の豪姫と会った。これが最後の別れとなったという。

島津・前田両家の懇願により命は許されたが、秀家は八丈島へ流され、豪姫は生活費を秀家に送り続けたといわれる。その後、84歳まで長生きしたという。関ヶ原の戦いに参陣した大名では一番長く生きたことになる。

酒を恵んでもらう
八丈島時代、宿敵であった福島正則の家来が八丈島へ嵐で流された際、その家来に酒を恵んでもらったという話も。

ゆかりのお城　岡山城

岡山県岡山市にある。秀家が8年かけて築城した三層六階の天守は、天然の外堀である旭川をのぞむ立地。昭和20年（1945年）の空襲で焼失したが、昭和44年（1969年）に再建した。

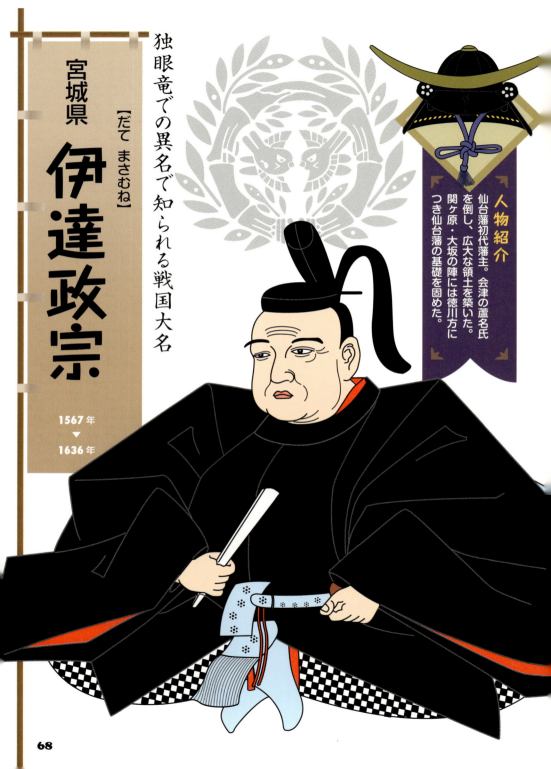

生涯

永禄 10 年（1567 年）

米沢城主の伊達輝宗の長男として生まれる。幼名は梵天丸

天正 12 年（1584 年）

家督を継ぐ

天正 18 年（1590 年）

小田原攻めに参加して豊臣秀吉に服属し、会津などは没収された。翌年、大崎・葛西一揆の鎮定後に玉造郡岩出山に移る

慶長 3 年（1598 年）

秀吉の死後、長女を徳川家康の子に嫁がせ、家康に接近する

慶長 5 年（1600 年）

関ヶ原の戦い

徳川方（東軍）として参戦する

慶長 6 年（1601 年）

仙台城 に移る

慶長 18 年（1613 年）

家臣の支倉常長をメキシコ・スペイン・ローマに派遣し、メキシコ貿易を行おうとしたが、達成せず

寛永 13 年（1636 年）

江戸で没する

エピソード

両親

「独眼竜」と呼ばれた政宗は、子供のころに重い病気、天然痘にかかり右目の視力を失ってしまった。そのため、母親は政宗を愛さなかったといわれている。しかし、父親は政宗を「この子は知恵と勇気を持っている」といって、とてもかわいがったという。

毒殺

母親は政宗の弟をかわいがり、伊達家を弟に継がせるため政宗を毒殺しようとしたという。政宗はすぐに薬を飲んで助かったが、伊達家を守るために弟を殺したという。また、母親に殺されそうになったにもかかわらず、政宗は母親に愛情を注ぎ、手紙を書いたり、老後の世話までしている。

お酒の失敗

ある日、小姓頭の姿が見えないので、他の小姓たちに尋ねると、昨日、脇差の鞘で殴った挙げ句、もう城には来るなといったではないですかといわれ、小姓頭に対しお詫びの手紙を出したという。また、酔い潰れてしまい、徳川 2 代将軍の秀忠の約束をすっぽかしてしまったことがあった。

献立はトイレで

政宗は自ら料理を作ることも多かったといわれている。その献立はトイレで考えたという。トイレといっても、すずりや紙、書物などが置かれた書斎ともいえる場所で 2 時間こもって考えていたという。

肖像画の不思議

「独眼竜」政宗の肖像画には、両目がきちんと描かれているものが多い。これは、政宗本人が晩年、「親から授かった大切なものが欠けたのは、不敬だった。自分の姿を肖像画などに残す場合は、必ず両目のそろったものにせよ」と言ったと伝えられている。

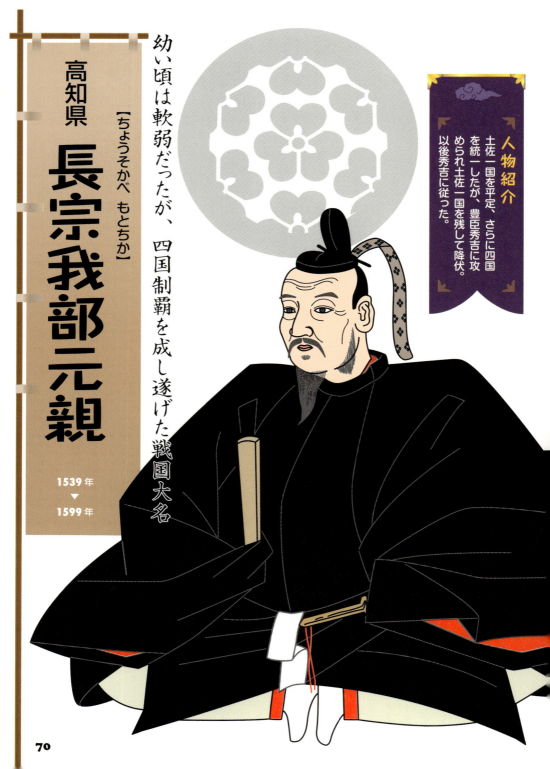

生涯

天文 8 年（1539 年）

長宗我部国親の子として土佐（高知県）の岡豊に生まれる。幼名は弥三郎

永禄 3 年（1560 年）

父国親の死後、家督を継ぐ

天正 2 年（1574 年）

一条兼定を追い、翌年土佐を統一する

天正 10 年（1582 年）

織田信長勢の四国攻めにあうが、本能寺の変で危機を逃れる

天正 13 年（1585 年）

伊予の河野通直を降して四国を制覇するが、豊臣秀吉に敗れ、土佐一国を与えられる

天守 14 年（1586 年）

秀吉の命で九州に出兵するが、島津氏と戦って敗れ、長男の信親を失う

文禄元年（1592 年）

文禄の役に出兵する

慶長元年（1596 年）

サン・フェリペ号漂着の処理を行う

慶長 2 年（1597 年）

掟書（百箇条）を定めて発布する

慶長 3 年（1598 年）

慶長の役に出兵する

慶長 4 年（1599 年）

療養のため上洛するが、伏見で死去する

エピソード

姫若子

　父は長宗我部国親。7 人兄妹の長男として生まれ、若い頃は色白の美少年だったが、あいさつをかけられても顔を背けたまま小さくうなずくだけの内向的な性格だったため、家臣からは元親様が家督を継ぐことは絶対無理だといわれていた。家臣たちからつけられたあだ名は姫のような若だったことから姫若子。

初陣は 21 歳

　国親は、元親を戦場に出したところでびびるだけだと思い、20 歳になっても戦に参加させることはなかった。武将の息子なら、16 歳頃には初陣に出るが、元親の初陣は 21 歳という異例の遅さだった。初陣前、元親は家臣に、大将というのは兵の前を走るものか、後ろを走るものなのか、槍はどうやって使うのかなどと、武将の息子とは思えない質問をし、周囲も呆れたという。しかし、合戦が始まると勢い良く敵陣に突っ込んで、槍で次々と敵を倒していったという。こうして、長宗我部家の家督を継ぎ、四国をほぼ制圧する。

禁酒令

　元親は、領地である土佐で禁酒令を出しておきながら、城に酒を持ち込んで自分だけはこっそり飲んでいた。ある日、元親の家臣が酒樽を担いでいる商人を見つけた。商人を調べると、元親が酒樽を城内へ運ぶよう命じたことを知り、家臣は樽をその場で砕き、元親の元へ行って上申をした。元親は反省し、結局、禁酒令は撤回された。

最期

　秀吉の傘下になった元親は、その後、秀吉の九州征討に息子の信親とともに参加、戸次川の戦いで仙石秀久の独断で敵将の島津軍の策にはまってしまい、信親は戦死。元親は息子の死にすっかり落ち込んでしまい、病没した。

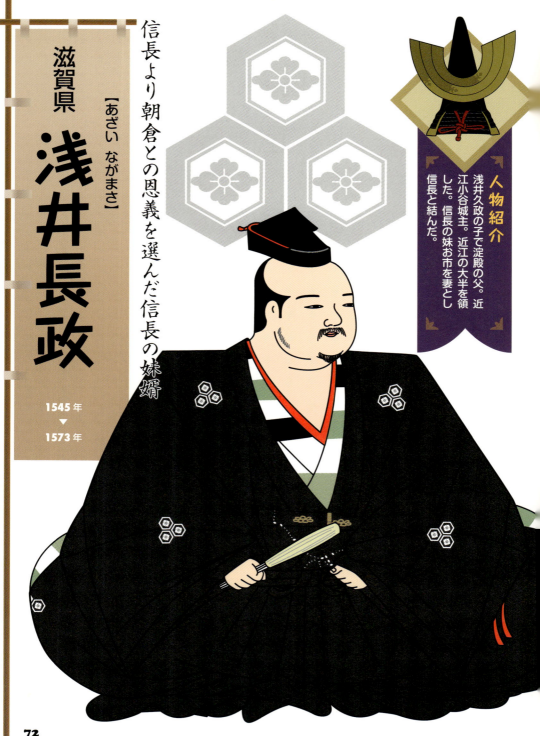

滋賀県
浅井長政
【あざい ながまさ】

1545年 ▼ 1573年

信長より朝倉との恩義を選んだ信長の妹婿

人物紹介
浅井久政の子で淀殿の父。近江小谷城主。近江の大半を領した。信長の妹お市を妻とし信長と結んだ。

生涯

天文14年（1545年）
近江の武将浅井久政（忠政とも）の子として生まれる。通称は新九郎

永禄3年（1560年）
16歳で家督を継ぐ
野良田の戦いで六角義賢を破り、以後南近江への進出を図る

永禄10年（1567年）
織田信長の妹お市の方を妻として、信長と友好関係を結ぶ

永禄11年（1568年）
越前から信長の元へ移る足利義昭を小谷城でもてなし、信長の上洛にも加わり、近江の大半を領有するようになる

元亀元年（1570年）
信長の朝倉義景討伐の際に、信長に離反して古くから親交のある朝倉氏を支援 姉川の戦い で織田・徳川軍に敗れる

天正元年（1573年）
信長に小谷城を攻められて自刃する
落城前にお市の方と3人の娘は信長に引き取られた

エピソード

約束
織田信長は浅井氏と同盟を結ぼうとして、妹のお市の方を長政と結婚させた。そのとき、信長は長政に、「浅井氏と仲が良い朝倉義景を勝手に攻めない」という約束を結んだという。

朝倉氏を味方
信長は朝倉氏を攻めても長政が裏切ることはないと思い、朝倉氏を攻撃。古くからの同盟者である朝倉氏への義理も果たさなければならなかった長政はこれに激怒し、信長との同盟を破り、義景に味方して金ヶ崎で信長をはさみうちにした。信長に逃げられ、今度は姉川の戦いで信長に敗れてしまう。

最期
その後、信長は朝倉氏を滅ぼすと、長政のいる小谷城への攻撃を開始。「城を明け渡して家臣になるならば命を助ける」と、信長に降伏をすすめられたが長政は受け入れなかった。小谷城が落城すると、長政は妻と子を城から逃がして、自ら命を絶った。

「長」の文字
一時期、浅井家と織田家は非常に仲が良い関係だった。長政の「長」の文字は信長の「長」にあやかってつけたものともいわれている。

3人のドクロ
浅井父子と朝倉義景を倒した信長。酒宴の場に金箔を貼った3人の頭蓋骨を持ち込み、杯にして酒を飲んだという話があるが、このエピソードはどうやら作り話と思われる。「信長公記」によれば正月に行われた内輪の宴席で、朝倉義景、浅井久政（長政の父）、浅井長政の首級を白木の台に据え置き、皆で歌って酒宴を催したと記されている。

73

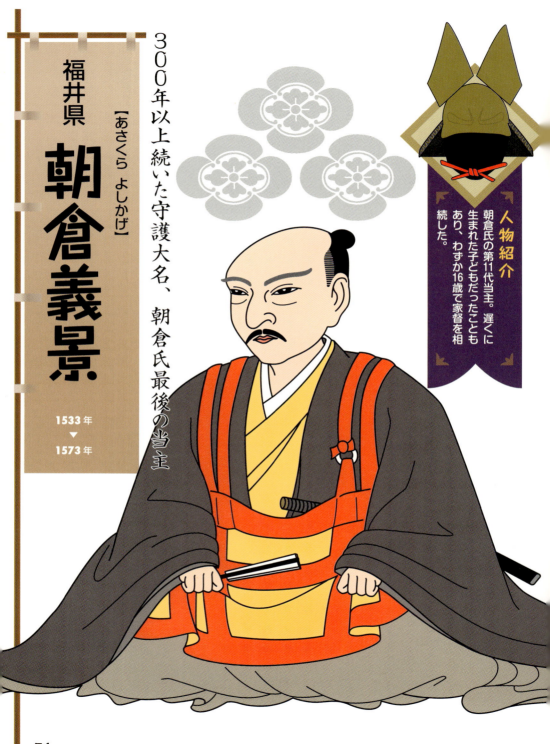

福井県
朝倉義景
【あさくら よしかげ】

1533年 ▼ 1573年

300年以上続いた守護大名、朝倉氏最後の当主

人物紹介
朝倉氏の第11代当主。遅くに生まれた子どもだったこともあり、わずか16歳で家督を相続した。

生涯

天文2年（1533年）
越前（福井県）の戦国大名、朝倉孝景の子として生まれる

天文21年（1552年）
将軍義輝の「義」の字を賜って名を義景と改める

弘治元年（1555年）
加賀に出兵する。これ以後も加賀の一向一揆と戦う

永禄5年（1562年）
義昭とともに、阿波賀河原で曲水(きょくすい)の宴(えん)を催す

永禄8年（1565年）
将軍足利義輝が殺されると、その弟義昭を一乗谷に迎える

永禄11年（1568年）
織田信長が義昭を奉じて上洛する際に諸国の武将の上洛を求めるが義景はこれに応じず、信長と対立するようになる

元亀元年（1570年）
浅井長政・武田信玄・本願寺などと結んで信長に対抗するが、姉川の戦いで織田・徳川軍に敗れる。この後、義昭の調停で義景と信長は和議を結ぶ

天正元年（1573年）
再び信長が近江に侵攻し、義景は一乗谷に火を放って越前の大野に逃れるが、追いつめられて自刃する

エピソード

戦に興味なし
義景は戦よりも京風文化を愛していた。そのため、朝倉一族を実質的に動かしていたのは長老の朝倉宗滴だったという。後に第15代将軍・足利義昭が義景を頼ってきたが、武を忘れた文弱な義景は義昭とともに上洛する気持ちがなく、義昭は義景を見限って信長の元へ去っていった。

最期
天下統一をめざす織田信長は、義景に自分に従うよう求めたが、義景はこれを無視。そして信長から攻撃を受けた。義景は浅井長政と協力し、信長を追いつめたが、姉川の戦いでは信長に敗れてしまった。その後、長政が信長に攻められときは、義景は越前から出撃して助けに向かったが、信長の激しい攻撃に越前へ逃げ帰ってしまう。しかし、家臣の裏切りにあい、義景は自害した。

美女
美女に弱く、死別や離別した妻を含め4人の女性と生活したが、誰もが美女だったといわれている。

一乗谷城と朝倉氏の史跡 福井県福井市にある。1960年代から本格的に発掘調査され、その保存状態が大変良いことから、遺構を全面発掘することになった。現在、国の特別史跡に指定されている。

ゆかりのお城 一乗谷城

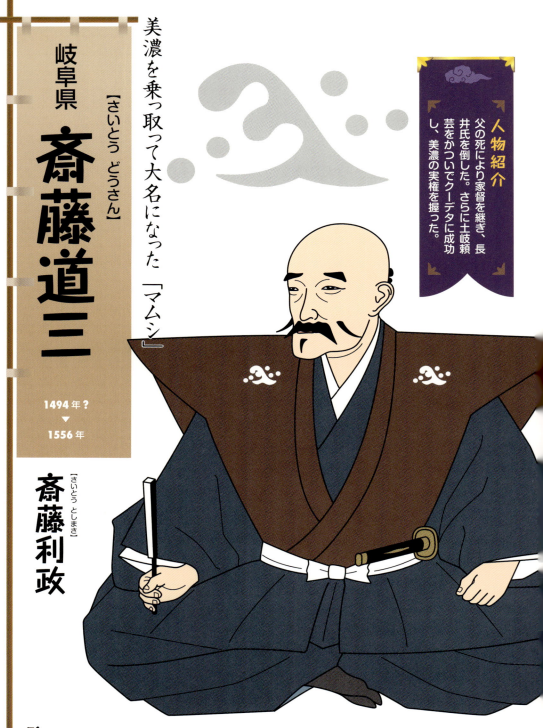

岐阜県

【さいとう どうさん】
斎藤道三

美濃を乗っ取って大名になった「マムシ」

1494年？
▼
1556年

【さいとう としまさ】
斎藤利政

人物紹介
父の死により家督を継ぎ、長井氏を倒した。さらに土岐頼芸をかついでクーデタに成功し、美濃の実権を握った。

生涯

明応 3 年（1494 年）？

山城（京都府）に生まれたとされる。
幼名は峰丸
のちに美濃の守護土岐氏の家老長井長
弘に仕えるようになる

永正 14 年（1517 年）

土岐氏の家督相続争いが起きると、争
いに敗れた土岐頼芸を守護職につける
ことを画策する

大永 7 年（1527 年）

家督を継いだ土岐政頼を追い、頼芸が
美濃の守護となる

享禄 3 年（1530 年）

長井長弘を殺害し、長井氏を乗っ取っ
て、長井規秀と称する

天文 7 年（1538 年）

守護代の斎藤氏の家督を継ぎ、斎藤利
政と称する

天文 11 年（1542 年）

守護頼芸を追放して実権を握る

天文 17 年（1548 年）

頼芸を保護した織田信秀と和睦して、
信秀の次男信長に娘を嫁がせる。その
後、剃髪して道三と号する

弘治 2 年（1556 年）

家督を譲っていた子の義龍と対立し、
長良川畔で敗死する

エピソード

油売りから出世

僧侶、油売りを経て、戦国大名に成り上
がった人物と言われていたが、実際に油を
売っていたのは道三の父・長井新左衛門だっ
たという説もある。

美濃のマムシ

美濃を支配する土岐氏の家臣・長井氏に仕
えた。しかし、その後、恩人の長井氏を殺し
て、家を乗っ取った。さらに土岐氏の重臣
だった斎藤家を乗っ取り、最後は土岐氏を追
放。恩人でも容赦しない下剋上そのもののや
り口で美濃を乗っ取って大名になったことか
ら、「美濃のマムシ」と恐れられたという。

信長

道三は、「うつけ者」として軽く見られて
いた織田信長を高く評価し、娘の濃姫を嫁入
りさせて同盟を結んだ。

義龍に討たれた理由

道三は家督をゆずっていた斎藤義龍に攻め
られた。一説によると義龍が道三の実子では
なく、道三によって攻め滅ぼされた土岐頼芸
の子で、義龍は父の仇を討ったのではないか
ともいわれている。また、道三に男子が何人
もあり、そうした兄弟間の家督争いが原因で
あったのではという説も。道三は長男の儀流
よりも、次男の斎藤孫四郎のほうを愛してい
て、孫四郎に家督を継がせようとしていたの
ではないかともいわれている。

最期

斎藤家の家臣の多くは義龍に味方し、1 万
7000 人の兵が集結した。一方、隠居してい
た道三のもとには 2000 人前後の兵しか集ま
らなかったという。

77

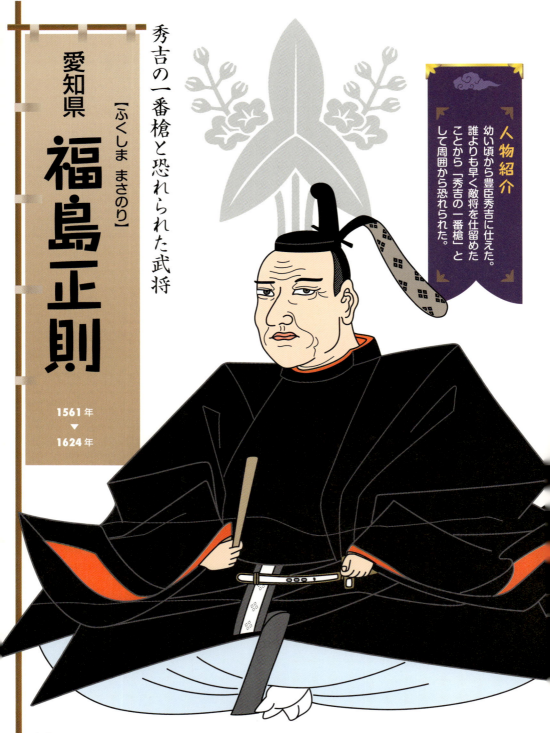

愛知県
【ふくしま まさのり】
福島正則
1561年
▼
1624年

秀吉の一番槍と恐れられた武将

人物紹介
幼い頃から豊臣秀吉に仕えた。誰よりも早く敵将を仕留めたことから「秀吉の一番槍」として周囲から恐れられた。

生涯

永禄4年（1561年）
尾張に生まれる。幼名は市松。豊臣秀吉と同郷で、幼少期から秀吉に仕える

天正11年（1583年）
賤ヶ岳の戦い
この戦いで活躍し、七本槍の筆頭に数えられる
このあとも小牧・長久手の戦い、九州攻め、小田原攻め、文禄・慶長の役で活躍する

文禄4年（1595年）
尾張の清洲城主となる

慶長4年（1599年）
加藤清正らとともに、石田三成の暗殺未遂事件をおこす

慶長5年（1600年）
関ヶ原の戦い
東軍（徳川方）側で参戦し、安芸の広島城主となる

元和5年（1619年）
広島城を無届けで修築したことで所領を没収され、信濃高井野（長野県）に蟄居する

寛永元年（1624年）
高井野で没する

エピソード

恐妻
正則は、敵に対して背を見せたことがないといわれるほどの猛将だったが、意外にも恐妻家だったといわれている。正則は、当時貴重品であった酒をひそかに台所で飲んでいた。その現場を妻に見つかり大喧嘩になった。妻は薙刀を振り回して正則を追いかけ、正則は城の外まで逃げたという。また、ある日のこと、帰宅した正則は、突然妻に薙刀で切りつけられたことがあったという。理由は妾の所に通っていたのがバレたためであった。妻に詫び、表玄関まで逃げて、ようやく難を逃れた。正則は家臣に「女の嫉妬ほど恐ろしいものはない」と言ったという。

酒のエピソード・1
酒癖が悪いので有名。ある日、泥酔したときに、酔った勢いで家臣に切腹を命じたことがある。翌朝、その家臣の姿が見当たらないので、どうしたのかと他の家臣に尋ねると、「今朝、切腹して死にました」といわれてしまった。こればかりは、さすがの正則も墓前で泣いて詫びたという。

酒のエピソード・2
飲みの席では「俺の酒が飲めないのか？」と絡むのも日常茶飯事で、ある日、黒田長政の家臣・母里太兵衛を相手に飲んでいたとき、まったく飲めない太兵衛に大盃に酒をなみなみと注ぎ、「これを飲めたら好きなだけ褒美をとらせてやるぞ」と言った。太兵衛はこれを断ったが「黒田家の武士は酒に弱い」とからかわれたため、その酒を一気に飲み干してしまった。正則はしかたなく秀吉から贈られた名槍「日本号」をあたえたという。

日本各地の戦国大名

日本全国に、その地域を代表する戦国大名が活躍していました。ここでは、この本に登場する戦国大名の一部を、地域ごとに紹介してみました。領国支配をすすめた戦国大名たちのなかには、自分の領地を開発して整え、現代につながるしっかりとした基盤をつくった人もいました。

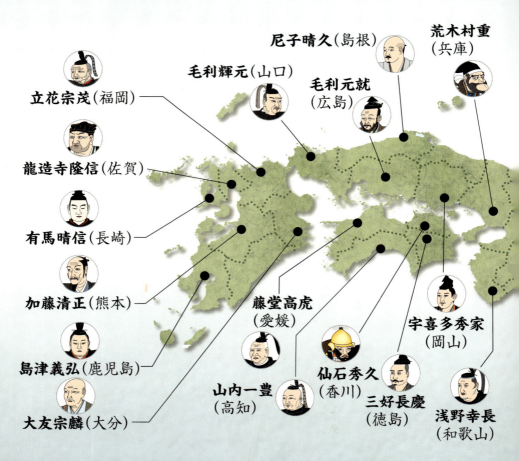

鹿児島県 島津義弘
[しまづ よしひろ]

「鬼島津」の異名で知られた武将

1535年 ▼ 1619年

人物紹介
九州をほぼ平定。豊臣秀吉に敗れたが、大隅領有はゆるされる。朝鮮より陶工を連れ帰り薩摩焼を生み出した。

生涯

天文4年（1535年）
島津貴久の次男として生まれる。幼名は又四郎

天文23年（1554年）
蒲生氏との合戦で初陣を飾る

天正6年（1578年）
大友宗麟の軍を高城で破って日向（宮崎県）を手に入れる

天正15年（1587年）
豊臣秀吉に敗れて降伏し、所領は大隅のみとなる

文禄元年（1592年）
文禄の役に出兵する

慶長3年（1598年）
慶長の役に出兵し、泗川の戦いで明・朝鮮の大軍を破る大功をあげる

慶長5年（1600年）
関ヶ原の戦いで西軍側に参戦し、敗北するが、敵陣を縦断してかろうじて退却した

元和5年（1619年）
隠居していた大隅の加治木で没する

エピソード

奇襲
島津義弘は、義久の次弟である。木崎原の戦い（現宮崎県えびの市）では、3000の兵で攻めてきた日向の伊東勢を、わずか300の兵で奇襲をかけて勝利した。耳川の戦い（高城川原の戦いともいう、宮崎県木城町）では、豊後の大友軍の真正面に位置し、敗退をよそおいながら後退。しかし、味方の伏兵とともに三方向から反撃して打撃を与えた。

膝突栗毛
1572年、木崎原の戦いで伊東義祐との一騎打ちの際、義祐が突き出した槍の穂先をかわせたのは、義弘の愛馬が膝をついて攻撃をかわしたからだといわれている。以後、この愛馬は「膝突栗毛」と呼ばれた。

家康を怯えさせた
関ヶ原の戦いでは、徳川軍への参加を断られたため、しかたなく石田軍（西軍）につくが総崩れに。義弘が切腹しようとしたとき、おいの島津豊久が「薩摩では殿のお帰りを待ってます」と叫ぶと、義弘はふるい立ち、東軍の中央を突撃して戦場を脱出、帰国した。家康は義弘の力を恐れ、島津氏の領地を減らさなかったという。

気配り
義弘は、とても気配りのできる人物だったという。初出仕する家臣とのお目見えの儀式の際、父親に手柄のあった者には「お前は父に似ているので、父に劣らぬ働きをするだろう」と言ったり、親にとくに手柄がない者には「お前は父に勝るようなので、優秀な働きをするだろう」など、激励の言葉を掛けていた。

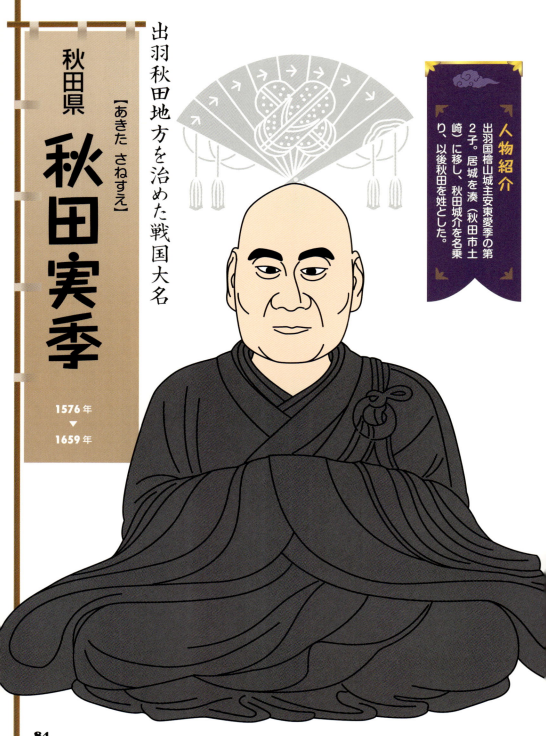

秋田県
秋田実季
【あきた さねすえ】

出羽秋田地方を治めた戦国大名

1576年
▼
1659年

人物紹介
出羽国檜山城主安東愛季の第2子。居城を湊（秋田市土崎）に移し、秋田城介を名乗り、以後秋田を姓とした。

生涯

天正4年（1576年）
出羽国の檜山城主安東愛季の子として生まれる

天正15年（1587年）
父愛季の死後に家督を継ぐ

天正17年（1589年）
一族が実季の家督相続に反発しておこした湊合戦に勝利して領内の統一を進める。このあと秋田城介を称し、以後秋田氏を名乗るようになる

天正19年（1591年）
豊臣秀吉から出羽檜山・秋田郡を与えられる

慶長5年（1600年）
関ヶ原の戦い に東軍側として参戦する

慶長7年（1602年）
常陸宍戸に転封される

慶長19年（1614年）
大坂夏の陣では豊臣方の先鋒隊と激突して敗れた

寛永7年（1630年）
伊勢朝熊に流罪となる

万治2年（1659年）
伊勢朝熊で没する

エピソード

相続争い

安東愛季の子。わずか12歳で家督を相続するが、従兄弟の安東通季がこれに反対し、反乱を起こした。3年後、ようやく実季は通季を破り相続争いを勝ち抜いた。

領地没収を免れる

1589年、実季は豊臣秀吉が東北地方に発していた私戦禁止令の存在をしらないまま戦っていた。秀吉は実季が命令を無視したとして、その領地を没収しようとした。実季はすぐに大坂の秀吉のもとに使者を送り、上杉景勝や石田三成らを通じて陳情。この頃、東北地方では伊達政宗や最上義光が大規模な戦を繰り広げていたこともあり、領地没収を免れることができた。

秋田姓

1590年、秀吉の小田原征伐に参陣、その後行われた奥州仕置では出羽国内の所領7万8500石余のうち約5万2440石を安堵された。そのころ、出羽国秋田にちなんで秋田姓を名乗り始めた。

軟禁生活

江戸幕府に非協力的な態度を取り続けていた実季は1631年、幕府から領地没収と伊勢国朝熊での謹慎を言い渡され、以降、永松寺で軟禁生活を送ることになった。

軟禁生活では、和歌や絵、野草料理の研究などに日々を費やし、「古事記」や「日本書紀」などの史書を研究して「秋田家系図」の作成に注力。また、漢方製薬の万金丹を世に送り出したといわれている。

自分の木像

相模国鎌倉から職人を招き、自分の木像を作らせた。その木像を床の間に置き、友人のように話しかけていたという。臨終に際しても「木像に茶を供えよ」と言い残したといわれている。

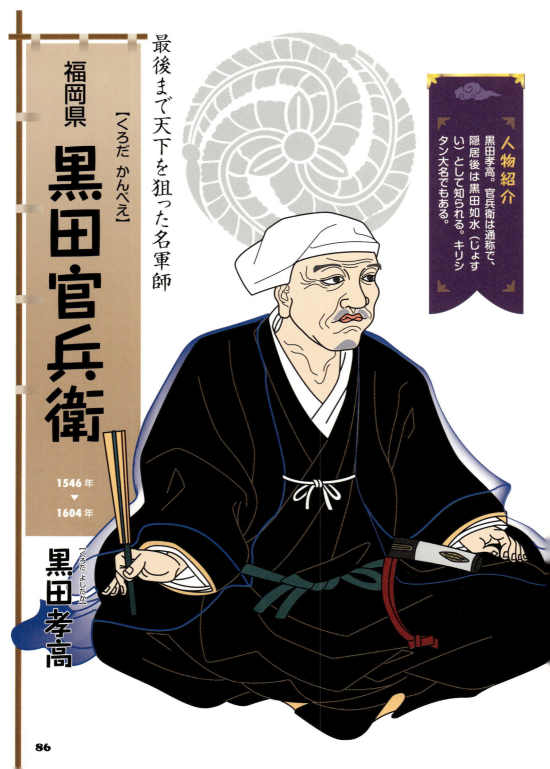

生涯

天文15年（1546年）
小寺職隆の子として播磨の姫路に生まれる。幼名は万吉。のちに織田信長に仕えるようになる

天正5年（1577年）
中国攻略のために播磨入りした豊臣秀吉を姫路城に迎え入れる。以後、秀吉に仕えるようになる

天正6年（1578年）
信長に背いた荒木村重を説得するために有岡城に行くが、捕らえられて翌年救出される。この後、秀吉に姫路城を譲るが、その頃にもとの黒田姓に改める

天正10年（1582年）
高松城の水攻めを献策し、毛利氏との講和を成立させる

天正15年（1587年）
九州平定後に豊前を与えられ、中津城に入る

天正17年（1589年）
家督を子の長政に譲るが、その後も秀吉の軍師として活躍する

文禄元年（1592年）
文禄・慶長の役 に従軍する
文禄の役後に剃髪して如水と名乗る

慶長5年（1600年）
関ヶ原の戦い
東軍（徳川方）について軍功をあげる

慶長9年（1604年）
京都の伏見で没する

エピソード

🔶 若い頃
14歳のときに母が亡くなり、悲しみのあまり文学に没頭するようになる。そんな官兵衛に僧侶の円満が「軍師・張良」の話を聞かせたという。すると官兵衛は文学に没頭するのをやめ、武芸と学問に打ち込んだ。

🔶 秀吉の軍師
最初、中国地方の小野寺氏に仕えたが、織田信長に仕えることを決心。信長は官兵衛の能力にすぐに気づき、秀吉の軍師にした。

🔶 信頼
1578年、有岡城（大阪府伊丹市）の荒木村重が、信長に突然反乱を起こした。官兵衛は荒木の説得に向かったが失敗、牢に閉じ込められてしまった。信長は戻ってこない官兵衛を裏切ったと思い激怒したというが、1年後に官兵衛はボロボロの姿で助け出されたという。牢獄暮らしで全身瘡蓋に覆われ、足は不自由になっていたという。それ以来、官兵衛はまわりから信用されるようになった。

🔶 天下を狙うも
秀吉の死後、関ヶ原の戦いが近づくと官兵衛は東軍西軍の勝った方と天下を争うつもりだった。しかし、短期間に合戦が終わったために成功しなかった。

🔶 晩年
晩年の官兵衛は、歌を詠んだり、城下の子供たちと遊んだりして過ごしていたという。友人に「本当は天下を狙っているのでは」と尋ねられても、「天下を取ろうと思えばたやすいが、もう年老いた」と答えたという。

🔶 最期
病床についた官兵衛は、後継者である長政に「3月20日の午前8時に死ぬ」と告げ、「葬儀には金を掛けず領民を慈しめ」と話し、予言通りの日時に息を引き取ったといわれている。遺言により、博多の教会に葬られた。

87

後藤又兵衛

兵庫県

[ごとう またべえ]

大坂の陣で戦死した流浪の武将

1560年 ▼ 1615年

後藤基次 [ごとう もとつぐ]

人物紹介

播磨の三木城落城ののち、黒田孝高、長政父子に従った。大坂の陣には豊臣方に加わり戦死。

生涯

永禄3年（1560年）
播磨に生まれる。通称は又兵衛

天正6年（1578年）
荒木村重が織田信長に背いた際に、伯父の藤岡九兵衛が黒田家に従わず、仙石氏に仕える。のちに黒田長政に呼び戻される

天正15年（1587年）
豊臣秀吉の九州攻めで戦功をたてる

文禄元年（1592年）
文禄の役 で戦功をたてる

慶長5年（1600年）
関ヶ原の戦い
長政の先手として戦い、軍功をあげる。戦い後、大隈城を与えられるが、長政と不仲になる

慶長11年（1606年）
筑前を去り、池田輝政のもとに身を寄せるが、のちには浪人として京都に住む

慶長19年（1614年）
大坂冬の陣 の際に豊臣秀頼の招きに応じて大坂城に入る

元和元年（1615年）
大坂夏の陣 で、小松山での松平忠明・伊達政宗らの大軍との激戦のすえ討ち死にする

エピソード

黒田官兵衛の家臣
後藤又兵衛の名で知られているが、本名は後藤基次。最初は黒田官兵衛に仕えていた。父の基国が官兵衛の親友で、又兵衛が8歳のときに亡くなったため、黒田家に引き取られた。このとき、黒田長政は生まれたばかりで、2人は兄弟のように育てられたという。

主君に物言う
又兵衛は、戦に関して主君の長政にも意見する厳しさを持っていた。朝鮮出兵のとき、長政が敵の武将と一騎打ちになって川に落ちても「敵に討たれるような主君なんかいらない」と、助けようとはしなかった。こうしたことが原因で長政との仲も悪くなっていった。

長政と衝突
黒田家は長政が継ぎ、又兵衛は家老並の扱いを受けていたが、性格の不一致から衝突が絶えず、次第に長政との関係が悪化していった。そして、官兵衛が亡くなった2年後、又兵衛は黒田家を出奔した。

奉公構
出奔した又兵衛だが、又兵衛の剛勇は全国に知れわたっていて、細川忠興、福島正則など多くの有名な大名から引きがあった。それを知った長政は「又兵衛を雇った大名とは一戦も辞さない」という「奉公構」を出して又兵衛を妨害した。

最期
10年の浪人生活を経て、豊臣秀頼に招かれて大坂城に入り、大坂の陣で活躍をみせた。大坂夏の陣で伊達軍の鉄砲隊に囲まれて戦死したといわれているが、道後温泉で湯に浸かっているときに首をとられたという説もある。

岐阜県

【たけなか しげはる】
竹中重治

1544年
▼
1579年

黒田官兵衛とともに「二兵衛」とよばれた秀吉の家臣

【たけなか はんべえ】
竹中半兵衛

生涯

天文13年（1544年）
美濃国に生まれる。もとの名は重虎、通称半兵衛
初めは斎藤龍興（たつおき）に仕える

永禄7年（1564年）
義父の安東守就とともに龍興の居城である稲葉山城を一時乗っ取る

永禄10年（1567年）
織田信長が斎藤龍興を攻めて美濃を制圧すると、信長の家臣となり、秀吉に仕えるようになる

元亀元年（1570年）
姉川の戦い で活躍する

天正6年（1578年）
秀吉の中国攻めに従い、戦功をあげる

天正7年（1579年）
秀吉の播磨平定に参加した際に、三木城を攻める陣中で没する

人物紹介
織田信長、豊臣秀吉につかえた。秀吉の中国攻めに従軍し、天正7年6月13日播磨（兵庫県）三木の陣中で病没。36歳。後世講談などで軍師として名だかい。

エピソード

本名は竹中重治。「半兵衛」は通称。

稲葉山城を乗っ取る
美濃の斎藤龍興の家臣だったとき、稲葉山城の橋の下を通る半兵衛に小便をかけた者がおり、それを城主の龍興が笑って見ていた。半兵衛はそれを武士として許せない行いと感じ、龍興をみきぎって、たった16名の部下とともに稲葉山城を乗っ取ってしまった。半年後に城を返した後、半兵衛は龍興のもとを去った。

秀吉の家臣に
斎藤家が滅びた後、半兵衛に惚れ込んだ織田信長が、家臣の秀吉に迎えに行かせたところ、半兵衛は秀吉の人柄を気に入って秀吉の家臣に。

得意技
半兵衛の得意技は謀略をめぐらせて敵を寝返らせること。秀吉はこれを気に入って、無血で勝つことを秀吉のスタイルとして定着させていった。

二兵衛
半兵衛が32歳のとき、30歳の黒田官兵衛が軍師に加わる。官兵衛とともに「二兵衛」と呼ばれ秀吉に貢献。半兵衛はライバル心をもたなかったという。

最期
36歳で病気で死去。臨終の際、「信長公は英知大才の人ではあるが、気質は偏狭。十分に注意されよ」と秀吉に忠告したといわれている。

【名言】
分に過ぎたる価をもって馬を買うべからず

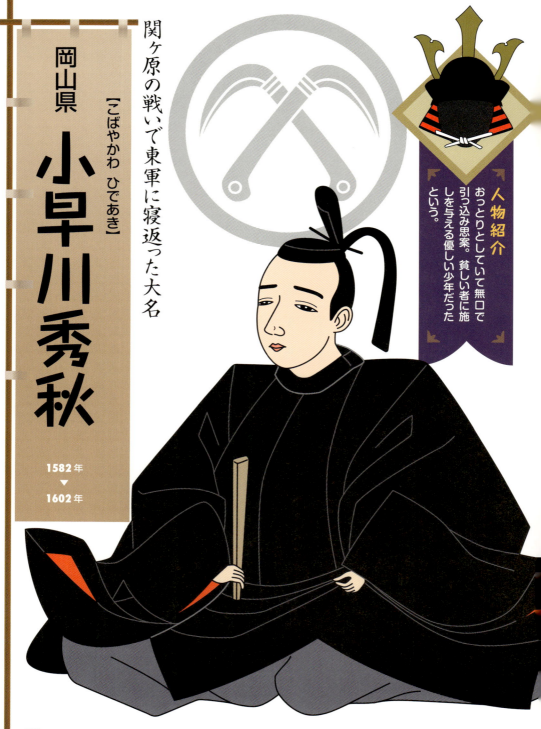

岡山県
小早川秀秋
[こばやかわ ひであき]

関ヶ原の戦いで東軍に寝返った大名

1582年 ▼ 1602年

人物紹介
おっとりとしていて無口で引っ込み思案。貧しい者に施しを与える優しい少年だったという。

生涯

天正10年（1582年）
木下家定（高台院の兄）の五男として近江の国の長浜に生まれる
幼名は辰之助

天正13年（1585年）
叔父の豊臣秀吉の養子となる

文禄3年（1593年）ころ
秀吉の命により筑前の小早川隆景の養子となる

慶長2年（1597年）
慶長の役
朝鮮出兵に際して15歳で参戦し、釜山浦に渡る。前線からの注進を取りついだ

慶長5年（1600年）
関ヶ原の戦い
西軍として松尾山に陣を敷き、戦況をみて東軍に寝返った。のち、秀詮と改名

慶長7年（1602年）
関ヶ原の戦い後、備前・美作（岡山藩）を拝領したが21歳で急死。小早川家は断絶した

エピソード

🔵 家族
父は木下家定といい、豊臣秀吉の妻・ねねの兄。幼少時に秀吉の養子となったが、豊臣秀頼の誕生により遠ざけられ、その後は子のなかった小早川隆景の養子となり、筑前（福岡県）30万7000石を相続。

🔵 芸事
少年時代は蹴鞠や舞など、芸事に優れていたという。

🔵 性格
おっとりとしていて無口で引っ込み思案。貧しい者に施しを与える優しい少年だったという。

🔵 寝返り
関ヶ原の戦いで、石田三成の西軍についていたが、途中で徳川家康の脅しに屈する形で東軍に寝返ったことが西軍敗北のきっかけになったと言われている。

🔵 酒
21歳という若さで原因不明の病死。子供の頃からの飲酒による肝硬変ではという説もある。早いうちから酒を飲み、酒のために借金もしていたという。19歳で黄疸が出るほどの病状だったとの話もある。

秀秋と家康

1598年、朝鮮出兵で初陣を戦っていた小早川秀秋は、突然、秀吉からの帰国命令を受けました。「戦場で軽率な行動をとった」として処分される事になってしまったのです（実際の戦いでは戦功を上げていたともいわれています）。一気に所領を半分にまで減らされ、筑前（福岡県）から越前（福井県）への転封を命じられてしまいました。しかし、秀吉の没後、さすがにこの時の処分は理不尽なものであると判断した五大老の筆頭・徳川家康の計いで、秀秋は旧領・筑前30万石に復帰する事になり、この頃より秀秋は家康との親交を密かに持つようになったと言われています。

富山県 佐々成政

[さっさ なりまさ]

さらさら越えの伝説で知られる武将

1536年 ▼ 1588年

人物紹介

織田信長に仕えて朝倉攻略や本願寺の一向一揆攻撃を行い、越中富山を与えられた。本能寺の変後は秀吉と対抗。

生涯

天文5年（1536年）
尾張国の佐々盛政の子として生まれ、織田信長に仕える

天正元年（1573年）
朝倉義景を討つ

天正3年（1575年）
長篠の戦い 前年の長島の一向一揆攻撃や長篠の合戦で軍功をあげ、越前国府中（富山市）を与えられる

天正9年（1581年）
越中国を与えられ、富山城に移る

天正10年（1582年）
本能寺の変 で信長が没したあとは柴田勝家に味方する

天正12年（1584年）
小牧・長久手の戦い
織田信雄・徳川家康側と結んで戦う。翌年敗れて秀吉に降伏する

天正15年（1587年）
秀吉の九州平定に従って肥後を与えられるが、肥後国人らの検地反対一揆にあう

天正16年（1588年）
失政を責められ、摂津国尼崎で切腹を命じられる

エピソード

鉄砲隊
織田信長の家臣。鉄砲の扱いに優れ、姉川の戦いや長篠の戦いなどで鉄砲隊を指揮し、活躍した。

敵が多い
大の豊臣秀吉嫌いで知られており、前田利家とも仲が悪かったという。同じく秀吉嫌いで知られていた柴田勝家とも富山城の攻略において大喧嘩をし、敵が多かったといわれている。

さらさら越え
成政が徳川家康に会うため、冬の立山を越えたことを「さらさら越え」という。富山を治めていた成政は、信長の死後、嫌っていたことから秀吉と対立。秀吉との戦いに苦戦し、雪で敵が攻めてこない冬の間に山を越え、徳川家康に援助を求めようとした。多くの家臣を失いながら、浜松に到着したが、家康を説得できず、戦いは敗北した。富山県側から信濃に抜けるアルプス越えルートが成政のさらさら越えとされているが、正確なルートはいまも不明。

最期
秀吉に仕え、肥後の領主となったが、失政から国人一揆を招き、秀吉の怒りを買って切腹を命じられた。

子孫
「水戸黄門」の助さんのモデルで知られる水戸光圀に仕えた佐々宗淳。
「浅間山荘事件」で現場指揮官として活躍した、初代内閣安全保障室長の佐々淳行がいる。

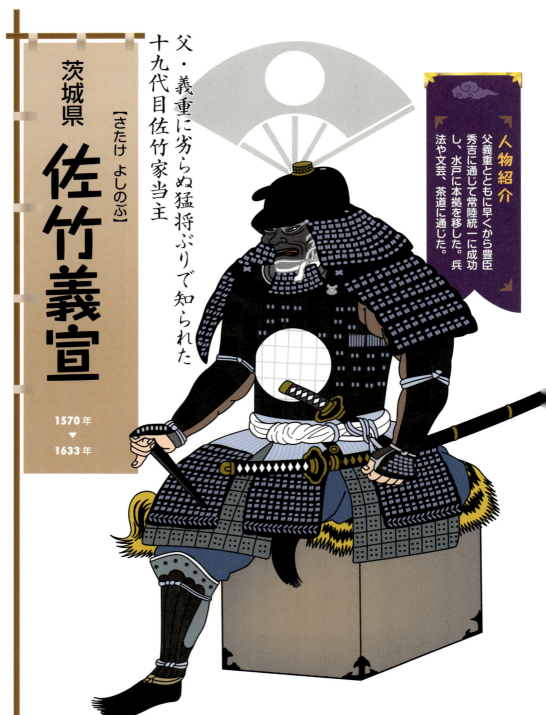

茨城県

【さたけ よしのぶ】

佐竹義宣

1570年
▼
1633年

父・義重に劣らぬ猛将ぶりで知られた十九代目佐竹家当主

人物紹介

父義重とともに早くから豊臣秀吉に通じて常陸統一に成功し、水戸に本拠を移した。兵法や文芸、茶道に通じた。

生涯

元亀元年（1570年）
佐竹義重の子として、常陸（茨城県）の大田城に生まれる。幼名は徳寿丸

天正17年（1589年）
家督を継ぐ
このころ、伊達氏の侵攻をうけ、石田三成を通じて豊臣秀吉と通じる

天正18年（1590年）
秀吉の小田原攻めに参加し、石田三成の指揮下で忍城を攻める。小田原攻めののち、秀吉から常陸・下野の支配を認められる

天正19年（1591年）
常陸国内を統一して水戸城に移る

慶長5年（1600年）
関ヶ原の戦い で西軍に味方したために領国を没収される

慶長7年（1602年）
出羽に転封となり、久保田城（秋田市）に移る

寛永10年（1633年）
江戸で没する

⚜ 父・義重
　義宣は佐竹義重の長男。母は伊達晴宗の娘で伊達政宗は従兄弟。義重は関東の最大勢力を誇っていた「北条氏」との戦いで、「鬼の佐竹」と呼ばれるほどの猛将ぶりを発揮し、その名をとどろかせていた。佐竹氏の全盛期を築くが、摺上原の戦い（磐梯山裾野、福島県磐梯町・猪苗代町）で伊達政宗に敗れ、危機に陥るが、豊臣秀吉と懇意にしていたことから佐竹氏を存続させることに成功。

エピソード

⚜ 19代目
　義宣は16歳のときに初陣し、義重の隠居によって家督を譲られ、19代目の佐竹家当主になった。

⚜ 大胆な発言
　江戸幕府3代将軍の徳川家光の上洛に随行した義宣は、京の屋敷で家臣と雑談中、「織田信長、豊臣秀吉、徳川家康の3人で誰が一番強いのでしょうか」と質問された。義宣は「信長だ。秀吉が信長に従ったのも、家康が秀吉に従ったのも、恩義だからそうしたのではなく、力が及ばなかったからだ。でなければ、秀吉は信長の孫である秀信を主君と仰いだだろうし、家康も大坂の陣で豊臣家を滅ぼしたりしなかった」と述べたという。さらに、「この話は明日、京でうわさになるかも知れないが、同じことを京における徳川家の拠点である二条城で問われたとしても答えは変わらない。」と言い放ったという。

⚜ 肖像画
　ほとんど顔が分からないように甲冑と頬当を装着し、武具箱に腰かけた肖像画が有名だが、顔を知られると闇討ちの危険が増すために隠していたといわれる。家臣たちも義宣の顔を見たことがないという逸話が残っている。

⚜ あいまいな態度
　関ヶ原の戦いでは、あいまいな態度を取り続けたことが原因で常陸の国54万石の大大名から、20万石の出羽国久保田（秋田）藩に転封となった。

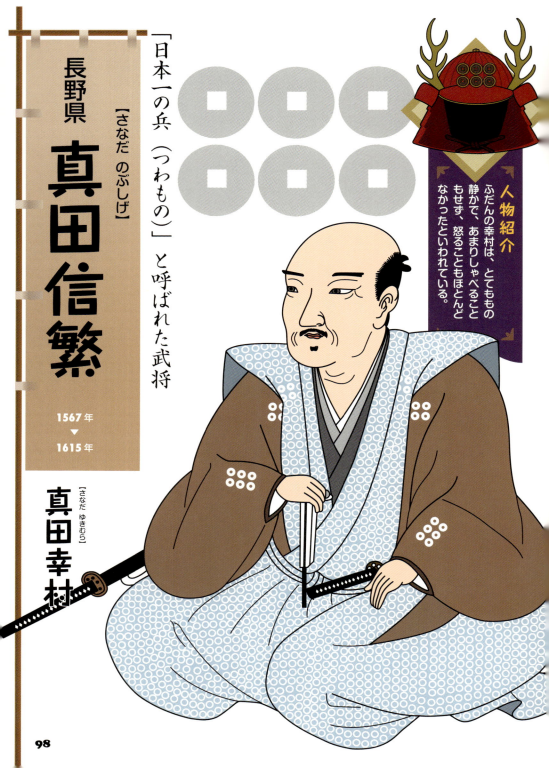

生涯

永禄10年（1567年）
信濃の上田城主真田昌幸の次男として生まれる。名は信繁

天正13年（1585年）
徳川家康に上田城を攻められたとき、父昌幸や兄信之とともに、徳川軍を破る

天正15年（1587年）
豊臣秀吉の家臣となる

天正18年（1590年）
秀吉の小田原攻めに従い、活躍する

慶長5年（1600年）
<u>関ヶ原の戦い</u>
家康の上杉景勝討伐に従軍するが、石田三成が兵をあげたとの情報を得て、西軍側につき上田城で家康の子秀忠を迎え撃ち、戦功をあげる。戦い後は紀伊の九度山に蟄居となる

慶長19年（1614年）
豊臣秀頼に招かれ、大坂城に入る
<u>大坂冬の陣</u>
真田丸を築き東軍（徳川方）を悩ませる

慶長20年（1615年）
<u>大坂夏の陣</u>
茶臼山で家康を窮地に追いつめるも戦死する

エピソード

名前
一般的には真田幸村の名前で知られているが、本人が生きているときは「幸村」という名前では呼ばれてはなく、「信繁」という名前だった。父の真田昌幸が尊敬していた武田信玄の名前から「信」の字をあやかったと言われている。「幸村」と呼ばれている理由は今も謎である。

九度山に追放
1600年、関ヶ原の戦いがおきると、幸村は父・昌幸とともに西軍についた。中山道を関ヶ原に向かった3万8000人の大軍・徳川秀忠（東軍）軍を、幸村たちはわずか3500人の兵で迎えうち勝利した（第二次上田合戦）。しかし、関ヶ原では石田軍（西軍）が敗れてしまったため、戦後の処理として命は助けられたが九度山に追放され、幽閉された。

真田丸
1614年、徳川家康と豊臣家が対立し、大坂冬の陣が起こった。幸村は豊臣軍として九度山を抜け出し大坂城に入った。その際に「真田左衛門佐幸村」と名乗ったとも言われる。城の南側を弱点と見抜き、そこに「真田丸」という出城を築いた。幸村は徳川軍を真田丸におびき寄せて、鉄砲で攻撃して勝利を収めた。徳川軍の戦死者のほとんどが幸村の攻撃によるものだったという。冬の陣のあと家康と豊臣家は和睦を図ったが、その際の条件として真田丸は壊された。

大坂冬の陣

　関ヶ原の合戦に勝利した徳川家康は、慶長8年（1603年）征夷大将軍となり江戸幕府を開きました。一方、豊臣秀頼、淀君母子は大坂城を居城とし、一大名として、勢力を保持していました。慶長19年（1614年）家康は、再興された方広寺（京都市）大仏殿にある鐘銘（釣り鐘に施した銘文）に言いがかりをつけ、秀頼か淀君の江戸移住、あるいは秀頼の国替えを求めました。豊臣方がこれを拒否し、家康は挙兵。30万ともいわれる勢力で大坂城を取り囲み攻め込みました。これが大坂冬の陣です。豊臣方の勢力は、ほとんどが浪人などを中心とした戦力でしたが、守りの堅い大坂城にこもって奮戦しました。

真田丸

　大坂冬の陣で、豊臣方の武将・真田信繁（幸村）が大坂城の平野口に築いた出城をこのようにいいます。東西約180mの半円形で、土塁の高さは約9m、外周の壕の深さは6〜8m。慶長19年12月4日の真田丸の戦いなどで挙げた戦果は大きく、徳川方の死者のうち8割は真田丸の攻防によるものとされています。同12月20日に両軍の和睦が成立し、その条件のひとつとして真田丸は取り壊され、外堀なども埋めることとなりました。

大坂夏の陣

　家康は、豊臣氏との和睦の条件であった外堀だけでなく、内堀なども埋め、さらには秀頼の転封を強要したため、翌、慶長20年（1615年）戦いが再開されました。15万人の大軍を率いて、家康はふたたび大坂城を攻めたのです。これが大阪夏の陣です。

　戦っても勝ち目はないと判断した真田幸村らは、「狙うのは家康の首のみ」と、家康の本陣に突撃したといわれています。しかし、圧倒的な数の徳川軍に攻め込むことができず、豊臣方は破れ、5月8日に大坂城は落城、秀頼・淀君母子は自害し、豊臣氏は滅亡したのです。

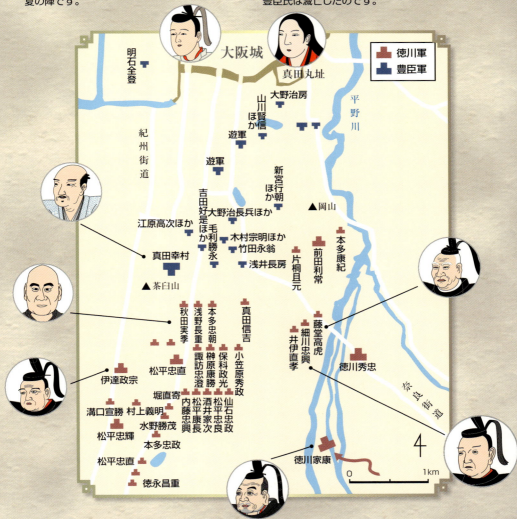

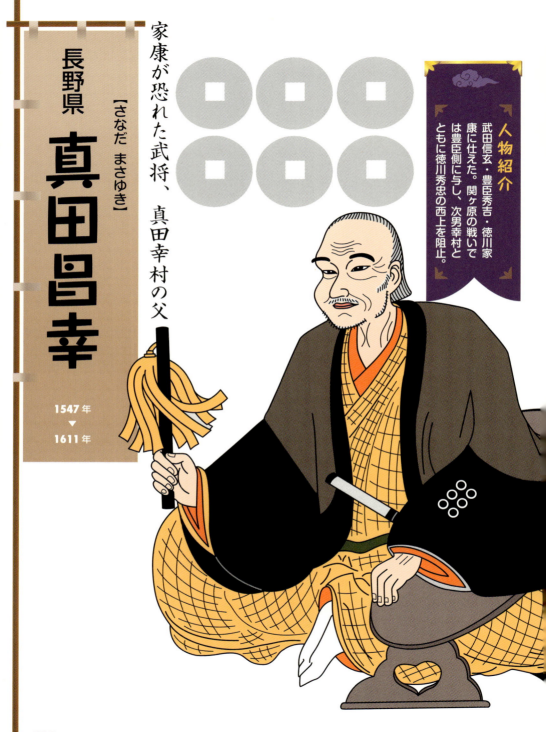

生涯

天文16年（1547年）
武田氏の武将真田幸隆の子として生まれる

天正3年（1575年）
2人の兄が 長篠の戦い で戦死したため、家督を継ぐ

天正8年（1580年）
上野（こうずけ）に進出し、沼田領一円を手に入れる

天正10年（1582年）
武田氏滅亡後に織田信長に仕え、本能寺の変後は徳川家康に属する

天正11年（1583年）
上田城を築城する

天正13年（1585年）
家康が沼田城を北条氏に与えようとしたため、上杉景勝と結んで、家康を上田城で迎え撃った。このあと秀吉に属する

慶長5年（1600年）
関ヶ原の戦い
子の信繁（幸村）とともに、西軍側につき上田城で家康の子秀忠を迎え撃ち、戦功をあげる。戦い後は紀伊の九度山に蟄居となる

慶長16年（1611年）
九度山で没する

エピソード

幼少期
武田信玄に仕える真田家の子として生まれた。頭のよかった昌幸は、信玄から「我が眼のごとき者」と、その才能をたたえられた。

上田合戦の最中に碁
信玄の死後、武田家が織田信長に滅ぼされると、昌幸は徳川家康と手を結んだ。しかし家康は、昌幸の領地だった沼田を北条氏に渡すように命じてきた。昌幸はこれを断って家康と手を切ると、家康は昌幸の上田城に大軍を送ったが、昌幸は徳川軍を撃退した。この上田合戦の最中、昌幸は甲冑を着ることもなく、家臣と碁を楽しんでいた。

幸村は西軍、信之は東軍に
関ヶ原の戦いでは、息子の幸村とともに石田軍（西軍）についた。昌幸はどちらが勝っても真田家が生き残れるように長男の真田信之（のぶゆき）には徳川軍（東軍）につけさせた。西軍についた昌幸は、徳川秀忠軍を迎えうって勝利したが（第二次上田合戦）、西軍が敗れたため、幸村とともに九度山に追放され、その地で病死した。

家康がおびえた人物
徳川軍は昌幸に上田合戦で2回とも敗れたため、家康は昌幸を恐れていた。大坂冬の陣で、「真田が大坂城に入った」と知らされた家康は、「親の昌幸の方か、子の幸村の方か？」と、手をふるわせて怯えるように尋ねたといわれている。

ゆかりのお城
上田城
長野県上田市にあった、難攻不落で知られるお城。

福岡県 立花宗茂
[たちばな むねしげ]

秀吉に認められた「天下無双の大将」

1567年 ▼ 1642年

人物紹介
大友宗麟の家臣・高橋紹運の子。13歳のとき、立花道雪の養子になる。

生涯

永禄10年（1567年）
豊後（大分県）の高橋紹運の子として生まれる

天正8年（1580年）
戸次鑑連（立花道雪）の養子となる

天正14年（1586年）
豊臣秀吉に服従する
島津氏の侵攻にあうが退ける

天正15年（1587年）
秀吉の九州征討で先鋒をつとめ、その戦功により柳川を与えられる

文禄元年（1592年）
文禄の役 に従軍して活躍する

慶長5年（1600年）
関ヶ原の戦い
西軍に属し、戦い後改易される

慶長9年（1604年）
徳川家康・秀忠に召し出され、陸奥の棚倉を与えられる

元和6年（1620年）
再び柳川を領有する

寛永14年（1637年）
隠居し、弟直次の子忠茂を養子として家督を譲る

寛永19年（1642年）
江戸で没する

エピソード

天下無双
宗茂が20歳のとき、5万もの島津軍が北九州を攻めてきた。岩屋城（現福岡県太宰府市）を落とすと、宗茂のいる立花山城を攻めてきたが、宗茂は攻撃をしのいだ。この活躍を知った豊臣秀吉は宗茂を家臣にし、宗茂は大友家を守るため秀吉のもとで活躍。九州征討などの宗茂の活躍に、秀吉は「東に本多忠勝という天下無双の大将がいるように、西には立花宗茂という天下無双の大将がいる」と宗茂を評価した。

敵から親友に
関ヶ原の戦い後、宗茂は関ヶ原から逃げてきた島津義弘と一緒になった。島津家は父・紹運を殺した敵軍だったが、関ヶ原の戦いでは同じ石田軍（西軍）として参加した。宗茂はわずかな家臣とともに逃げる義弘を守りながら領国に帰ったという。義弘は宗茂に感謝し、親友になったといわれている。

【名言】
戦いは兵が多いか少ないかで決まるのではなく、ひとつにまとまっているかどうかである。

ゆかりのお城　柳川城

福岡県柳川市にあった柳川藩主の居城。市内を縦横に走る掘割が天然の要害となっていた。

青森県 津軽為信 [つがる ためのぶ]

1550年 ▼ 1607年

主家・南部氏を討ち津軽を統一した武将

人物紹介
初代弘前藩主。初め南部氏に属したが、津軽地方を平定、弘前城の築城など、津軽氏の基礎を築いた。

生涯

天文19年（1550年）
津軽の堀越城主武田守信の子として生まれる。出自は諸説あり

永禄10年（1567年）
伯父の大浦氏を継ぐ

天正16年（1588年）
津軽統一をほぼ完成する

文禄2年（1593年）
上洛して正式に津軽の領有を認められる

慶長5年（1600年）
関ヶ原の戦い
東軍（徳川側）に参加する

慶長8年（1603年）
高岡城（現在の弘前城）を築きはじめる

慶長12年（1607年）
京都で没する

エピソード

津軽地方を統一
奥州堀越城主（青森県弘前市）、武田守信の子。叔父、大浦為則の養子となり、大浦氏を継ぐ。南部氏からの独立を画策。津軽郡代の南部高信を討って南部からの独立を宣言、約17年かけ、津軽地方を統一した。

領民から尊敬される
「南部史要」という史料に記されている逸話。
ある年、春から長雨が続いて凶作になり、さらに疫病が流行し多数の死者がでた。為信は援助金、お米、薬などを与えて領民の救済にあたった。そこへ、南部信直から年貢米を三戸城へ送るよう命令が伝えられた。為信は、むしろ援助があるのが当然とし逆に陳情。為信自身は節約を心がけ、妻子にも粗末な服を着せるようにして、領民から尊敬された。

性格
弘前藩の歴史書によると、南部家の支配から津軽地方を統一した為信を英雄とし、性格は情け深く、知識と仁義と勇気を兼ね備え、政治には文をもって戦には武をもって当たり、老人をいたわって子供に懐かれるようにし、たくさんの人から父母のように慕われたという。

最期
1607年、病床の嫡男、信健のお見舞いに上洛したが、到着前に信健は死去。2か月後、後を追うように為信も京都で死去。

ゆかりのお城 弘前城

青森県弘前市にある。天守の高さ15.6m。現存天守12城の1つとして日本最北に位置する（参照→p.111）。築城は慶長16年（1611年）だが、落雷で天守が焼失し、文化7年（1810年）に御三階と呼ばれる櫓を建てて天守とした。東北屈指の桜の名所でもある。

107

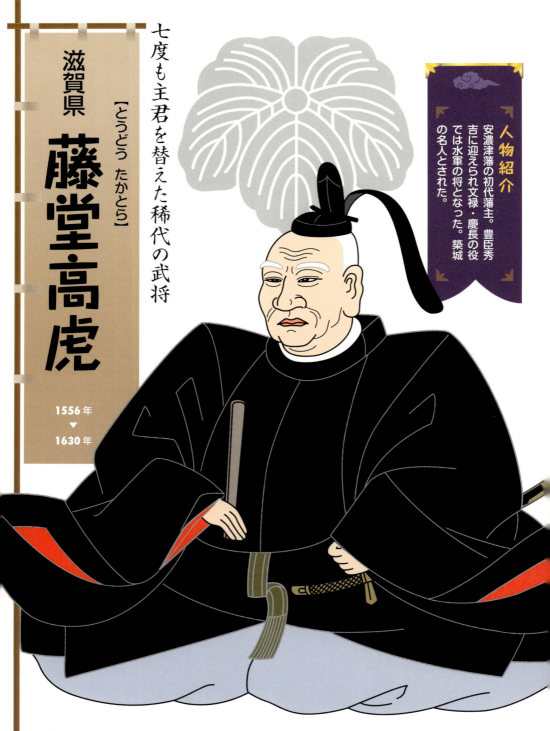

藤堂高虎 [とうどう たかとら]

滋賀県

七度も主君を替えた稀代の武将

1556年 ▼ 1630年

人物紹介

安濃津藩の初代藩主。豊臣秀吉に迎えられ文禄・慶長の役では水軍の将となった。築城の名人とされた。

生涯

弘治2年（1556年）

近江の地侍、藤堂虎高の子として生まれる

元亀元年（1570年）

浅井長政に属して姉川の戦いに従軍する

天正4（1576年）

羽柴秀長に仕える。秀長の死後、その子秀保に仕えるも、秀保も没すると高野山に入るが、豊臣秀吉に請われて秀吉の直臣となる

文禄元年（1592年）

文禄・慶長の役 に水軍を率いて従軍する

慶長5年（1600年）

関ヶ原の戦い

東軍（徳川側）として大谷吉継の軍を破る

慶長13年（1608年）

安濃津城（三重県）に入る

元和元年（1615年）

大坂夏の陣 で戦功をあげる

寛永7年（1630年）

江戸で没する

エピソード

🔵 7度も主君を変える

最初は浅井長政に仕える。長政が死去すると、長政の家臣だった阿閉貞征に仕えたがすぐにやめている。その後、阿閉家は本能寺の変で明智光秀についたため、秀吉にとらえられ一族全員処刑される。3人目に仕えたのは、浅井家の旧臣だった磯野員昌。員昌が織田信長によって追放を命じられたこともあり、すぐにやめている。4番目に仕えたのは織田信長の甥にあたる信澄。しかしこれも長続きせず、5番目に仕えたのは一番相性がよかったといわれている豊臣秀吉の弟、豊臣秀長。秀長の死後、6番目に仕えたのは、まだ幼かった秀長の養子・秀保。しかし秀保は早世してしまい、7番目に仕えたのは声をかけてくれた豊臣秀吉だった。

🔵 家康に鞍替え

秀吉の死後、豊臣家の当主になった豊臣秀頼にはつかず、徳川家康に仕えた。関ヶ原の戦いでは、石田軍の小早川秀秋に裏工作を仕掛けて家康軍（東軍）に寝返らせたのも高虎ではないかといわれている。

🔵 無銭飲食

主家を求めての浪人時代、高虎はあまりの空腹に耐えきれず、三河の餅屋に入って無銭飲食をしてしまう。勘定のときに、正直にお金を持っていないことをつげたら、主人は高虎に「そんな気がしてたよ」と笑いながら許してくれたという。それどころか、その後の旅の資金まで恵んでもらったという。後に大名となって参勤交代の途中、この餅屋に立ち寄って餅代をはらったという話もある。

109

藤堂高虎 ゆかりのお城

築城の名手として、藤堂高虎が関係したお城は全国で20あまりといわれています。高虎の城づくりは、豊臣秀吉からも徳川家康からも高い評価を受けました。それは、高い石垣と広い内堀を造って、平城でも固い防御の城となるような技術を確立したことです。同時に城下町の整備を行って、住みやすい町づくりをしました。

◆ 宇和島城

愛媛県宇和島市丸之内にある。天守の高さ15.7m。現在地に慶長6年（1601年）、藤堂高虎が築城した。現存天守12城のうちの1つ（参照→111p）。城の外郭は上から見ると不等辺5角形をしており、随所に築城の名手と言われた高虎ならではの工夫が見受けられる。高虎が今治（愛媛県）に転封となってのち、奥州仙台藩主、伊達政宗の長子秀宗が宇和郡10万石を賜り、元和元年（1615年）に入城。2代宗利の時、天守以下城郭の大修理を行って、その姿を現在に残している。

◆ 江戸城改修（天守台）

東京都千代田区にあったお城。慶長8年（1603年）、徳川家康が下した「天下普請」の命令により、江戸城の改築および道路や河川などのインフラ整備が始まった。当時、江戸城は質素な造りであったが、将軍家の居城として、増築や周辺設備の整備など、大がかりな工事が行われた。藤堂高虎は、石垣を高く積み上げる技術と、堀の設計に長けていたことから、城の外郭石壁と石垣部分を担当したと言われている。さらに、天守台や石塁の修築にも尽力した。現在は、東京都千代田区にある本丸、二ノ丸、そして三ノ丸の跡地が皇居東御苑として一般公開されている。

◆ 津城

三重県津市にあったお城。津市の古称は安濃津であり、古くは平安京の外港として栄えた港町であった。この地に、信長の弟である織田信包が天正8年（1580年）までに、石垣と堀を巡らせて天守を建て、近世の城郭とした。慶長13年（1608年）、高虎が城主となり、慶長16年（1611年）には大改修をほどこした。以後、藤堂家がこの地の領主となり、明治維新まで続いた。

明治維新後、建物はすべて取り壊され、本丸と西の丸の石垣と郭が残り、内堀は北と西に当時の半分ほどの幅に狭められて残った。城跡には藩校有造館の正門の入徳門が移築現存している。

（津市ホームページより　http://www.info.city.tsu.mie.jp/）

日本のお城／現存天守12城

戦国武将のゆかりのお城を紹介しておりますが，江戸時代までに建てられたお城で，今も天守が現存しているお城は，日本に12城しかかありません。

明治維新とともに廃城になったお城も多かったといわれています。ここでは，現存する12城について簡単にご紹介してまいります。

備中松山城(岡山県)
岡山県高梁市にある。天守の高さ11m。天和3年(1683年)頃に築城。現存天守の中では最も小さいが，標高430mの臥牛山頂上付近に建つ唯一の山城。気象条件などでは雲海に浮かぶ天空の城ともなる。

姫路城(兵庫県)国宝。
→142ページをご覧ください

松江城(島根県)
島根県松江市にある。国宝(2015年に指定)。天守の高さ約22.4m。慶長6年(1611年)築城。お城として5つ目の国宝となった。黒板塀は，初期天守閣の姿を残すといわれる。

丸岡城(福井県)
福井県坂井市丸岡町にある。天守の高さ約12.6m。柴田勝家の甥，勝豊によって，天正4年(1576年)に築城。屋根に石瓦を使用しているのは防寒対策といわれる。

松本城(長野県)
長野県松本市にある。国宝。天守の高さ29.4m。文禄2年(1593年)築城。外壁は漆喰で防御にすぐれている。江戸時代の櫓(やぐら)が戦国時代の天守と並ぶのはこのお城だけ。

弘前城(青森県)
→107ページをご覧ください

宇和島城(愛媛県)
→110ページをご覧ください

伊予松山城(愛媛県)
愛媛県松山市にある。天守の高さ21m（現存天守）。慶長8年(1603年)最初の天守築城。その後落雷で焼失し，安政元年(1854年)に現在の天守を再建。日本最後の天守建築となった。

高知城(高知県)
→117ページをご覧ください

丸亀城(香川県)
香川県丸亀市にある。天守の高さ14.5m。天守は万治3年(1660年)に築城。日本一の高さを誇る約60mの見事な石垣の上に立つ。全国でも珍しい木造天守で知られている。

彦根城(滋賀県)
滋賀県彦根市にある。国宝。天守の高さ約17m。慶長12年(1607年)頃築城。豊臣家の勢力を意識した，徳川家康の命によって建てられた。代々，彦根藩井伊家の居城。

犬山城(愛知県)
愛知県犬山市にある。国宝。天守の高さ約19m。天文6年(1537年)築城。織田信長の叔父，信康が築いたとされる。望楼型の天守は日本最古の様式。

★は国宝

111

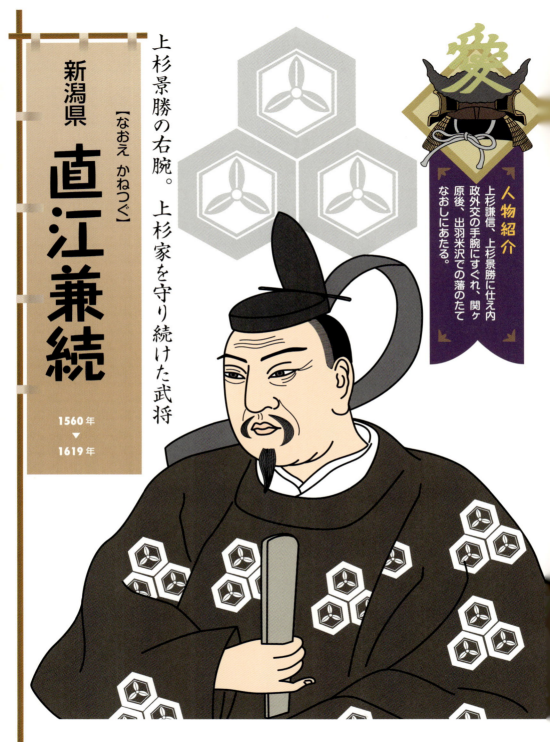

新潟県 直江兼続
【なおえ かねつぐ】

1560年 ▼ 1619年

上杉景勝の右腕。上杉家を守り続けた武将

人物紹介
上杉謙信、上杉景勝に仕え内政外交の手腕にすぐれ、関ヶ原後、出羽米沢での藩のたてなおしにあたる。

生涯

永禄3年（1560年）
越後の坂戸城で樋口氏の嫡男として生まれる。幼名は与六。上杉景勝の近習となる

天正9年（1581年）
与板城主直江家を継ぎ、上杉氏の家宰として大きな権限を与えられる

天正14年（1586年）
景勝に従って上洛し、豊臣秀吉から豊臣の姓を与えられる

文禄元年（1592年）
文禄の役
朝鮮出兵の際に、朝鮮の書籍を持ち帰り、のちの禅林文庫の基礎となる

慶長3年（1598年）
景勝が秀吉の命で会津藩主となると、兼続は米沢城代に任命される

慶長5年（1600年）
関ヶ原の戦い
上杉氏は西軍に味方するが、関ヶ原での敗戦を聞いて降伏する

慶長6年（1601年）
上杉氏が出羽の米沢に減封・移封されたのちも藩政に力を尽くす

元和5年（1619年）
江戸で没する

エピソード

美少年
若い頃は、美少年だったといわれ、上杉謙信や主君・上杉景勝から寵愛を受けたと言い伝えられる。

伊達政宗嫌い
兼続は伊達政宗嫌いで有名だった。
江戸城の廊下で政宗とすれ違った兼続は、大大名である政宗を無視して通り過ぎたので、政宗は「無礼だ」と怒った。兼続は「誰かと思えば政宗公でしたか。戦場では政宗殿が逃げて行く後ろ姿しか見たことがないので、まったく気がつきませんでした」と答えたという。

質素
日常生活は質素だったようで、朝食の副菜は山椒3粒で済ませていたという。雁の吸い物を出されれば、「驕り物」であるとして口を付けなかったという。衣服も、普段は綿服を着用し、最上等の羽織も裏地は細かい布切れを縫い合わせたものを着ていたという。

学問
上杉謙信の影響を強く受け、兼続はほとんど独学で学問を修めたという。とくに漢詩を好んだといわれ、文学のみにとどまらず、蔵書には馬術書、医学書などの実用書もあり、何かを書き写したと思われる意味不明なメモ類も残されている。

大男
かなりの大男だったようで、上杉神社に保管されている兼続所用と伝わる甲冑は、すね当てや腰回りに付ける佩楯が大きいことで知られている。

兜に「愛」の文字
自身の兜には「愛」の文字をのせていたことでも知られている。武神である「愛」宕権現、にあやかったとする説が有力。

113

愛知県

【ほんだ ただかつ】

本多忠勝

戦で生涯無傷だった家康の猛将

1548年
▼
1610年

人物紹介

徳川家康に仕えた武将。徳川四天王と呼ばれ、徳川氏譜代家臣団の最上層を形成した。武田信玄との戦で勇戦。

生涯

天文 17 年（1548 年）
岡崎城主松平氏の家臣本多忠高の子として三河で生まれる。通称平八郎
幼い頃から徳川家康に仕える

永禄 3 年（1560 年）
尾張の大高城攻めで初陣する
以後、三河の一向一揆・姉川の戦いなどで戦功をあげる

天正 10 年（1582 年）
本能寺の変のときに織田信長のあとを追おうとする家康をいさめて「伊賀越え」を進言する

天正 12 年（1584 年）
小牧・長久手の戦い
豊臣秀吉の大軍に少ない兵で向かい、徳川軍の窮地を救う

天正 18 年（1590 年）
上総（千葉県）の大多喜城主となる

慶長 5 年（1600 年）
関ヶ原の戦い
豊臣諸大名の監視役として活躍する

慶長 6 年（1601 年）
伊勢（三重県）の桑名に移封となる

慶長 15 年（1610 年）
桑名で没する

🟡 肖像画
鹿の角の兜を被り、黒糸威の胴丸具足に身を固め、右手には采配を持ち床机に腰を掛け、肩からは金色の数珠を掛けている有名な肖像画だが、忠勝が絵師に 8 度も描き直しさせて 9 度目でやっと納得したものだという。

エピソード

🟡 初陣
初陣では、叔父が敵将の首を「おまえの手柄にしろ」とくれようとしたが、「人の力を借りて何で武功が立てられますか」と、自ら敵陣に乗り込み首を取ってきたという。

🟡 生涯無傷
徳川家康の古参の家臣として、戦場では大いに活躍した。生涯 57 回の合戦に臨み、かすり傷ひとつ負わなかったという。忠勝の武勇として、姉川の戦いでの一騎打ちや関ヶ原の戦いでのわずかな手勢で 90 もの首を取ったことなどが伝えられている。

🟡 蜻蛉切
戦場では、6 メートルもある長い槍を使った。槍の先にとまったトンボがまっぷたつに切れたことから「蜻蛉切」と呼ばれた。

🟡 腕力で訴える
関ヶ原の戦い後、忠勝は石田軍（西軍）に回った真田昌幸・幸村父子を助命してもらうように家康に頼んだ。忠勝の娘の小松姫は、家康の養女という名目で昌幸の長男である信之に嫁いでいた。信之は徳川軍（東軍）につき家康や忠勝からも気に入られていた。ただ、家康は昌幸に第一次上田合戦で負けていて、死刑だと譲らなかった。そこで、忠勝は「私がこんなに頼んでもダメなら、殿とも一戦交えましょうか？」といった。敵に回したらこんな面倒な相手はいないと思った家康は、さすがに慌てて折れたという。

🟡 晩年
戦の時代が終わり、忠勝の活躍する場がなくなっていき、家督を息子に譲って隠居した。隠居後のある日、忠勝は小刀で彫り物をしていたが、あやまって左手を切ってしまった。かすり傷程度だったが、戦場では一度も傷を負わなかった忠勝は「こんなことで傷を負うなんて、俺ももう終わりだな」とつぶやき、すっかり肩を落としたという。

115

高知県 山内一豊
【やまうち かつとよ】

三英傑に仕え、土佐一国の大名へと出世した

1546年？
▼
1605年

人物紹介
信長・秀吉に仕えたのち、近江長浜城主などをへて土佐高知藩主山内家初代となる。高知城を築き支配体制をかためた。

生涯

天文15年（1546年）？
岩倉城主織田信安に仕える山内盛豊の子として尾張に生まれる。幼名は辰之助
父盛豊の戦死後、流浪ののちに織田信長に仕える

天正元年（1573年）
朝倉攻めで豊臣秀吉の配下として戦功をあげ、近江の唐国（長浜市）を得る

天正13年（1585年）
長浜城主となり、豊臣秀次付きを命じられる

天正18年（1590年）
遠州の掛川城主となる

慶長5年（1600年）
関ヶ原の戦い
東軍（徳川側）に属し、戦後土佐を与えられる

慶長8年（1603年）
高知城に移る

慶長10年（1605年）
高知城で没する

エピソード

名誉の傷跡
1573年、織田信長が朝倉氏を攻めた刀根坂の戦いで、一豊は織田軍として参戦した。朝倉方の弓の名手であった三段崎勘右衛門と対決した時、勘右衛門の放った矢が一豊の左の目尻から右奥歯までを射抜いた。大怪我を負ったにもかかわらず、このあと一豊は勘右衛門と壮絶な死闘を繰り広げた末、勝利を収めた。一豊は後々まで顔に大きな傷跡が残ったという。

戦場での武勇伝
戦場での武勇伝は数多く、槍での一騎打ちの最中に、相手の槍の先を手づかみにして柄をねじり折ったり、ある武将と槍を合わせた戦いでは、左膝に刺し傷を受けたまま戦ったという話も。いずれも負傷したにもかかわらず顔には出さなかったという。

内助の功
一豊は織田信長に仕えていた。妻の千代は、貯めていた嫁入りの持参金で一豊に名馬をプレゼントした。織田軍の馬ぞろえに参加した一豊は信長から注目され、出世した。妻の内助の功によって一豊は出世できたと言われる。

情に厚かったため貧乏に
信長のもとで働き始めた当初の一豊は、家中きっての貧乏侍で極貧生活だった。領主として400石を得た後も貧乏は変わらなかった。その原因は多くの家臣たちを召し抱えていた人件費にあった。一豊は情に厚く、自分を頼ってきた者を無下にできなかったといわれている。

カツオのたたき
土佐では、庶民たちがカツオの刺身をよく食べていたが、食中毒が広まることを恐れた一豊はこれを禁止した。そこで庶民は、カツオの表面だけを焼いて食べた。これがカツオのたたきのはじまりだという。

ゆかりのお城　高知城

高知県高知市にある。天守の高さ18.5m。慶長16年（1611年）一豊が築城したが火災によって焼失。寛延2年（1749年）創建当時のままの姿で再建された。現存天守12城の1つ。

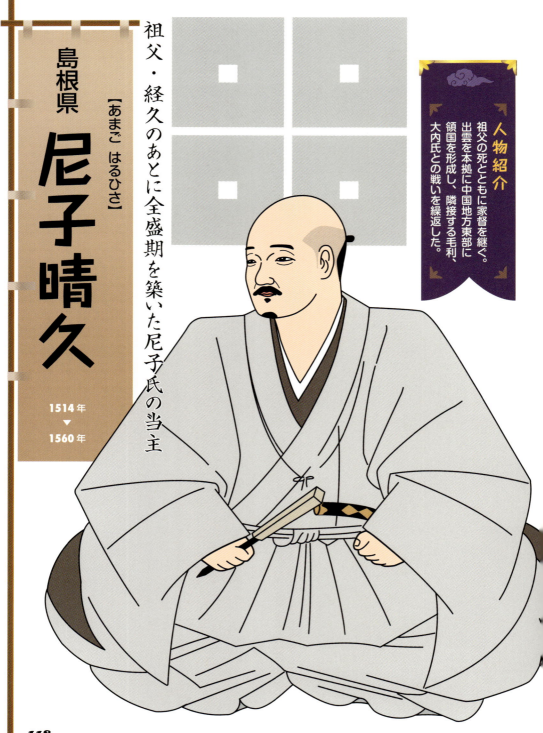

島根県
【あまご はるひさ】
尼子晴久
1514年 ▼ 1560年

祖父・経久のあとに全盛期を築いた尼子氏の当主

人物紹介
祖父の死とともに家督を継ぐ。出雲を本拠に中国地方東部に領国を形成し、隣接する毛利、大内氏との戦いを繰返した。

生涯

永正11年（1514年）
尼子経久の嫡男政久の次男として生まれる

天文6年（1537年）
祖父の経久から家督を譲られる

天文9年（1540年）
大内氏と結んだ毛利元就を攻撃するが、翌年に反撃され敗れる

天文11年（1542年）
大内義隆の出雲侵攻をうけるが、富田城で防戦し、翌年には撃退する

天文21年（1552年）
山陰・山陽8か国の守護に任ぜられる

天文23年（1554年）
一族の精鋭をみずから滅ぼし、勢力を衰退させる

永禄3年（1560年）
毛利氏との戦いのさなか、富田城で没する

エピソード

8か国を支配
出雲（島根県）を中心に勢力を広げた尼子家に生まれる。父、兄が早くに亡くなったため、祖父の尼子経久から1537年、24歳で尼子家を継いだ。勢力を拡大しようと次々と戦いを起こし、山陰・山陽地方にまたがる8か国（出雲・隠岐・備前・備中・備後・美作・因幡・伯耆）を支配する戦国大名になった。

晴久の死後
次男の尼子義久が晴久の後継になるが、元就に敗れ、尼子氏の勢力は急激に衰退していった。

月山富田城
島根県安来市富田にあった山城で、尼子氏の居城であった。200m前後の月山山頂に本丸があり、天然の地形を利用した、難攻不落の要塞城といわれ「天空の城」とも呼ばれていた。その後、城をめぐって度々攻防戦が行われ（月山富田城の戦い）、尼子氏が毛利氏によって滅ぼされたため城も毛利領となった。のち、江戸幕府がとった政策により、この出雲・松江藩については、松江を根拠地とすることとなり、1611年、月山富田城は廃城となった。

石見銀山
石見国（島根県）には銀鉱石（銀が含まれている石）のとれる石見銀山があった。1558年、晴久は毛利元就と石見銀山をめぐって激しく争い石見銀山を奪取。奪い返そうとする元就に対し、必死に守り続けた晴久だったが、1560年、脳の病気で倒れて47歳で急死。ただ没年や死因については諸説ある。

石見銀山

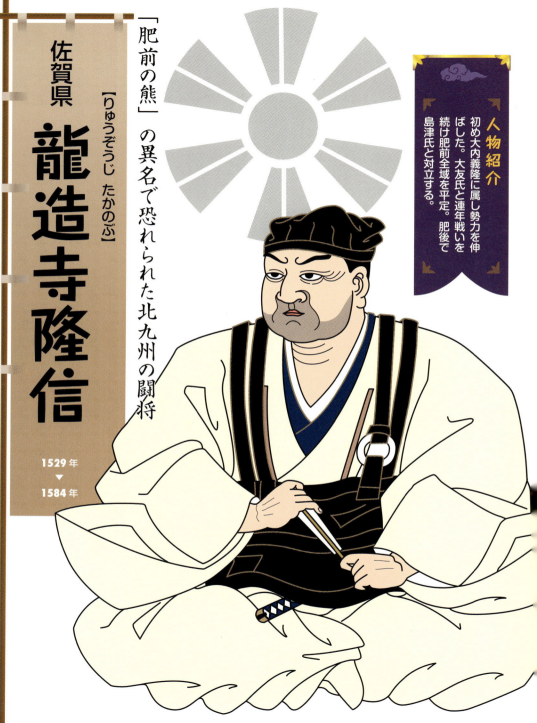

佐賀県
龍造寺隆信
【りゅうぞうじ たかのぶ】

「肥前の熊」の異名で恐れられた北九州の闘将

1529年 ▼ 1584年

人物紹介
初め大内義隆に属し勢力を伸ばした。大友氏と連年戦いを続け肥前全域を平定。肥後で島津氏と対立する。

生涯

享禄2年（1529年）
肥前（佐賀県）の龍造寺家の分家筋である水ケ江家に生まれる。幼い頃出家する

天文16年（1547年）
還俗して水ケ江家を相続する
その後、本家の惣領が病死したため龍造寺の家督も得る

天文19年（1550年）
大内義隆に従い、隆信と改名する

永禄2年（1559年）
少弐氏（北九州を支配していた）を破り、大友氏と対立することになる

天正3年（1575年）
肥前全域に勢力を伸ばした

天正6年（1578年）
有馬晴信らと和議。肥前をほぼ平定する

天正12年（1584年）
島津・有馬の連合軍との戦いのさなか亡くなる

エピソード

九州三強
肥前（佐賀県）の戦国大名で、龍造寺氏の全盛期を築いた人物で、大友氏、島津氏と並ぶ九州三強の一人として数えられた。

肥前の熊
隆信は肥前国を本拠地として、北九州のほとんどを征圧、「肥前の熊」の異名で恐れられた。少弐氏を倒し、大友氏を破り、九州の領土を次々と席巻していった。

沖田畷の戦いで、まさかの敗退
1584年、約6万の龍造寺軍と、約8000の島津家久・有馬晴信らの連合軍が、島原の沖田畷で戦うことになった。龍造寺軍が圧倒的に有利な戦いであったが、島津軍は逃げるとみせかけて、足元がぬかるんで身動きが取れなくなる場所に龍造寺軍を誘い込み、一気に襲った。龍造寺軍は総崩れになり、隆信は討ち取られた。隆信の死によって龍造寺氏も衰退していった。

肥満体
隆信は馬に乗れないほど太っていたといわれ、沖田畷の戦いで島津軍のわなにかかった際、輿に乗って家臣たちにかつがれていたが、家臣たちは輿を放り出して逃げたという。

【名言】
分別も久しくすればねまる
（「ねまる」というのは「腐る」の意味で、熟慮も過ぎるとかえって機会を逃したり、悪い結果になる事もあるので、ここぞという時は迅速な決断力が必要である、という意味。）

121

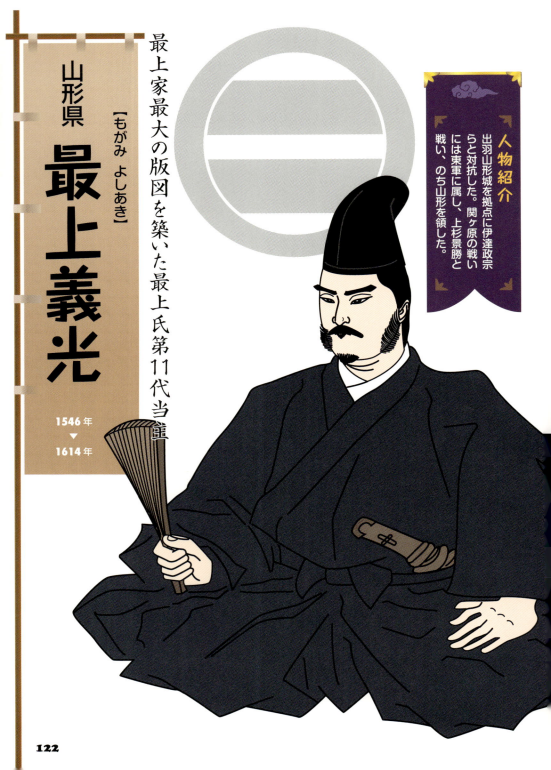

生涯

天文 15 年（1546 年）
最上義守の長男として生まれる

天正 2 年（1574 年）
相続争いに勝利する

天正 12 年（1584 年）
最上郡全域（山形県）を支配下におく

天正 16 年（1588 年）
庄内地方の支配をめぐり、伊達氏・上杉氏と戦う。豊臣秀吉の裁定により、庄内地方は上杉領として公認される

天正 18 年（1590 年）
秀吉に属し、出羽の領有を認められる

慶長 5 年（1600 年）
関ヶ原の戦いの際に起きた出羽合戦で直江兼続に攻め込まれるが、激戦となる
戦いのあと、恩賞により大大名となり、山形城の築城をはじめ、民政にも力を尽くす

慶長 19 年（1614 年）
山形城で没する

エピソード

よしあき
名前の「義光」と書いて「よしみつ」ではなく「よしあき」と読む。妹へあてた手紙に、ひらがなで「よしあき」と書いてあるのが発見されたため、「よしあき」が正しい呼び名であることが判明した。

鮭が好物
大の鮭好きで、鮭の贈り物が多かったという。鮭が欲しくて領地を広げたともいわれていて、「鮭様」とよばれていたという。

兜に命中
関ヶ原の戦いと同じ頃、出羽（山形・秋田県）でも東西に分かれた「慶長出羽合戦」が戦われていた。関ヶ原で石田軍（西軍）が敗れたことを知った上杉方（西軍）の直江兼続は、全軍退去を決めた。最上義光は徳川方（東軍）であったため、逃げる兼続を追いかけたが、兼続は隠していた鉄砲隊で義光を攻撃し、銃弾が義光の兜に命中したという。この銃弾は側近の家臣を貫いたともいわれる。

【名言】
いのちのうちの今一度、最上の土を踏み申したく候。水を一杯飲みたく候。

ゆかりのお城 山形城

山形城・本丸一文字門 山形県山形市にあったお城。現在の城郭は義光が築いたものが原型。城にかかる霞から「霞ヶ城」とも呼ばれた。城趾は霞ヶ城公園として整備されている。

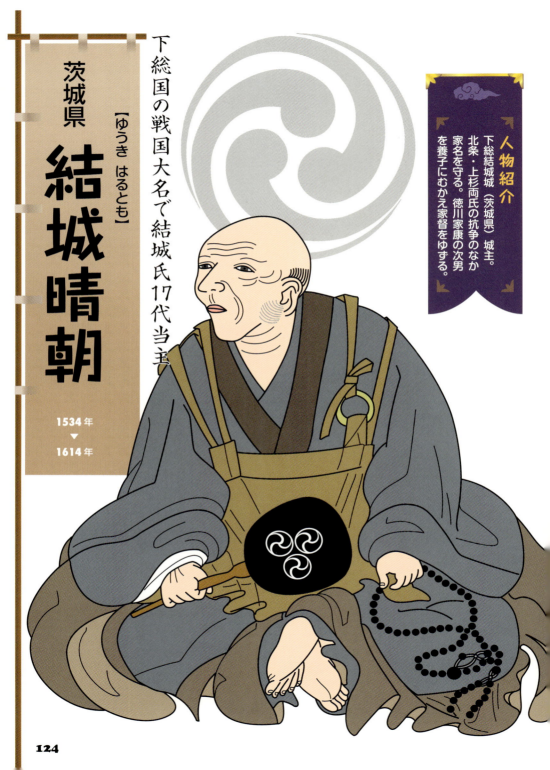

茨城県
結城晴朝
【ゆうき はるとも】

下総国の戦国大名で結城氏17代当主

1534年
▼
1614年

人物紹介
下総結城城（茨城県）城主。北条・上杉両氏の抗争のなか家名を守る。徳川家康の次男を養子にむかえ家督をゆずる。

生涯

天文3年（1534年）

小山高朝の子として生まれ、のちに伯父結城政勝の養子となる

永禄2年（1559年）

政勝の没後に家督を継ぐ

永禄12年（1569年）

北条氏と上杉氏の和睦後、北条氏による北関東への侵攻が激しくなるが、近隣の佐竹氏らと結んで北条軍に対抗する

天正18年（1590年）

豊臣秀吉の小田原攻めにあわせて挙兵して小田原に参戦する
秀吉の養子羽柴秀康（徳川家康の子）を嗣子に迎えて家督を譲る

慶長6年（1601年）

秀康が越前に転封されるのに伴って越前の北庄（福井県）に移る

慶長19年（1614年）

北庄で没する

エピソード

結城家の家督を継承

小山高朝の3男。伯父の下総国結城（茨城県結城市）城主である結城政勝の養子。政勝が死去すると、嫡男の結城明朝が早世してしまったため結城家の家督を継承。晴朝は中興の祖と呼ばれるほどの活躍を見せ、勢力を拡大していった。

世渡り上手

上杉謙信の関東攻めの際、関東一円の武将たちは上杉方と北条方のどちらに味方するのかを迫られた。晴朝は北条方につくが、謙信が上杉家の家督を相続して関東管領の地位に就くと上杉方に鞍替えした。その後、晴朝は一進一退を繰り広げる上杉方と北条方の間を行き来した。

隠居

その後、関東地方に勢力をもっていた佐竹氏、宇都宮氏と連携して北条氏に対抗。秀吉の小田原攻めにはすかさず参陣して所領を安堵してもらった。徳川家康の次男・羽柴秀康を養子にむかえ家督をゆずり隠居した。

家名

秀康が松平姓に改名したことで、結城の家名存続の危機になる。秀康が死去した後、秀康の5男、直基が結城の家名を継承したのを見届けた晴朝は、越前の地で81歳で死去。

その後、結城家を継いでいた直基は松平に改姓してしまい、結局、結城家は断絶した。

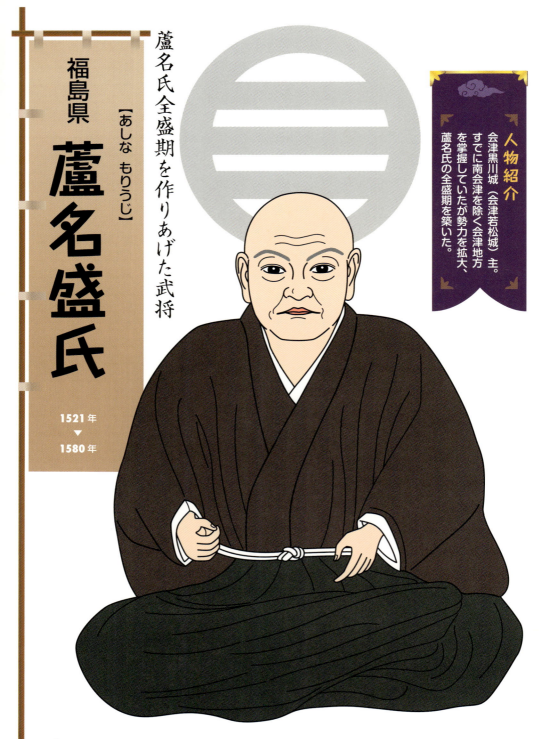

福島県
蘆名盛氏
【あしな もりうじ】

蘆名氏全盛期を作りあげた武将

1521年 ▼ 1580年

人物紹介
会津黒川城（会津若松城）主。すでに南会津を除く会津地方を掌握していたが勢力を拡大、蘆名氏の全盛期を築いた。

生涯

大永元年（1521年）
蘆名盛舜の子として生まれる。通称は平四郎

天文22年（1553年）
会津の黒川城主となる

永禄4年（1561年）
子の盛興に家督を譲って隠居し、止々斎と号する

元亀2年（1571年）
北条氏と同盟したのち、佐竹氏と戦う。以後交戦が続く

天正2年（1574年）
盛興が没すると黒川城に戻って政務をとる

天正8年（1580年）
黒川城で没する

エピソード

蘆名氏の全盛期
第15代当主、蘆名盛舜の子。伊達稙宗の娘と結婚し、父の盛舜から家督を譲られ、会津黒川城主となる。南会津を手中に収め、会津地方を制圧。その後も、周辺諸国に侵攻を続け、蘆名氏の全盛期を作りあげた。室町幕府の「大名在国衆」50余人のなかに名を連ねる血筋。

嫡男・盛興
1561年前後に家督を嫡男の盛興に譲り、隠退した。しかし、盛興が1574年に死去したため、黒川城に戻り再び政務を執った。盛氏は側室を持たず、生まれた子は盛興だけだった。

2度の禁酒令
盛氏は生涯に2度、家中に禁酒を命じている。1度目の理由はわかっていないが、2度目の理由は、息子の盛興が酒で早死にしたからといわれている。

会津若松城／ゆかりのお城

福島県会津若松市にあったお城。至徳元年（1384年）蘆名直盛が東黒川館を築き、改修を経て城郭を整えた。難攻不落とうたわれた鶴ヶ城（会津若松城）は、幕末の戊辰の戦争で新政府軍の猛攻に籠城1か月したが、城は落ちなかった。明治維新後、明治7年（1874年）石垣だけを残して取り壊された。

昭和40年（1965年）9月、市民などからの寄付により鶴ヶ城の天守が復元され、往時の姿がよみがえった。幕末時代の瓦（赤瓦）をまとった日本で唯一の天守閣となりました。

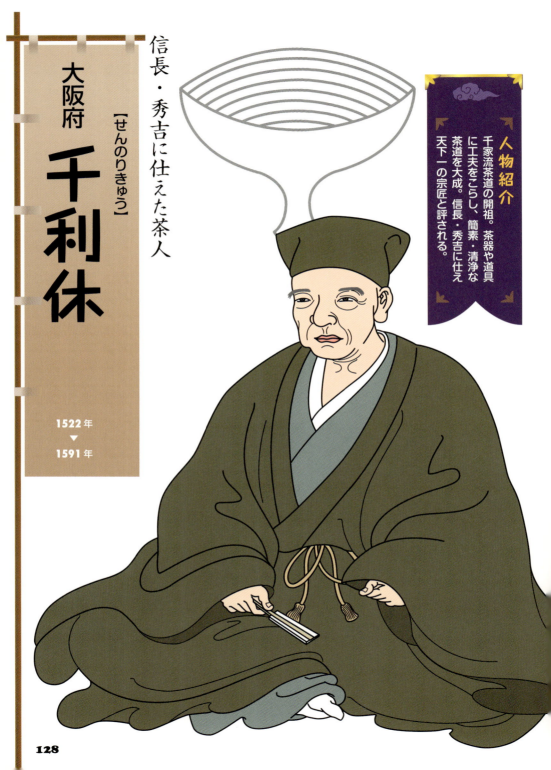

大阪府 千利休 [せんのりきゅう]

信長・秀吉に仕えた茶人

1522年 ▼ 1591年

人物紹介

千家流茶道の開祖。茶器や道具に工夫をこらし、簡素・清浄な茶道を大成。信長・秀吉に仕え天下一の宗匠と評される。

生涯

大永2年（1522年）

堺の商家に生まれる
武野紹鷗にわび茶を学ぶ

天正元年（1573年）ころ

織田信長の茶頭の一人となる

天正10年（1582年）

本能寺の変
本能寺の変後は豊臣秀吉に仕える
秀吉に命じられ、妙喜庵待庵をつくる

天正13年（1585年）

禁裏茶会で秀吉を後見する。この頃から天下一の茶匠としての地位を確立し、政治・軍事上でも発言力をもつようになる

天正15年（1587年）

北野大茶湯に奉仕する

天正18年（1590年）

秀吉の小田原攻めに随行する

天正19年（1591年）

石田三成らの、利休を排斥しようとする勢力の策動もあって、蟄居を命じられ、京都の聚楽屋敷で自刃する

わび茶

茶器や道具に工夫を凝らして、極限まですべての無駄をはぶいた、わび茶の完成に務めた。織田信長、豊臣秀吉に仕え、茶人としての地位を確立した。

利休七哲

武人、町人に数多くいたといわれた利休の弟子で「七哲」と呼ばれたのが、細川忠興、蒲生氏郷、高山右近、芝山監物、瀬田掃部、牧村兵部、古田織部の7人。このなかででも利休後継者とされたのが細川忠興と古田織部。

エピソード

名前

活躍していた時の名前は宗易（そうえき）。千利休という名前は晩年に天皇から与えられた名前で、宮中茶会の日のためにのみ用意されたものであったが、この名前を気に入り、利休はその後も好んで使い続けた。

キリシタン？

弟子の高山右近や細川忠興の妻・ガラシャがキリシタンに関係が深いことから利休もキリシタンであったのではないかという説がある。茶会におけるまわし飲みの作法がキリスト教のミサの作法に非常に良く似ていて、当時入ってきたキリスト教文化が茶の湯に大きな影響を及ぼしているのでは、ともいわれている。

死罪

1591年、利休は秀吉にいきなり死罪を命じられた。その理由は明らかにされず、諸大名や弟子たちの助命の願いもむなしく切腹することになった。茶器を高額で売って私腹を肥やしていたなどのうわさが立ったが真相は最後までわからなかった。茶道に対する考え方なども利休と秀吉は正反対だったので、次第に秀吉が利休を疎んじていったという。

死後

利休割腹後、利休の弟子であった蒲生氏郷は利休の子を自らの領地である会津にかくまったという。

【名言】

茶の湯とはただ湯をわかし茶をたててのむばかり

大阪府
顕如
【けんにょ】

最も信長にさからった石山本願寺の僧

1543年 ▼ 1592年

人物紹介
浄土真宗の僧。本願寺11世。石山本願寺に生まれ、織田信長と10年にわたって戦った。京都堀川の地でのちの西本願寺を造営。

生涯

天文12年（1543年）
父は本願寺宗主の証如。名は光佐

天文23年（1554年）
父証如の没後にあとを継ぎ、本願寺第11代宗主となる

永禄2年（1559年）
本願寺で初の門跡（公家や貴族出身の住職）となる

永禄10年（1567年）
足利義昭の調停で、対立していた朝倉義景・加賀の一向一揆との和議が成立する

元亀元年（1570年）
織田信長と対立して、諸国の門徒に挙兵を命じ、以後信長と戦う

天正8年（1580年）
信長と和睦して石山本願寺を退いて紀州の鷺森に移る

天正11年（1583年）
本願寺を和泉の貝塚に移す。さらに豊臣秀吉から与えられた大坂天満に移る

天正19年（1591年）
秀吉から京都の六条堀川の地を寄進されて移る（現在の西本願寺）

文禄元年（1592年）
没する

エピソード

強い権力
本願寺第10世証如の長男。12歳で浄土真宗の石山本願寺を継ぐ。武田信玄の妻の姉と結婚し、有力な公家とのつながりもあり、勢力の拡大をすすめた。

仏の敵
浄土真宗の布教によって民衆を導きたい顕如にとっては、武力で天下統一しようとしている織田信長は「仏の敵」であった。信長にとっても石山本願寺の宗教勢力はめんどうな存在だったので、両者の仲は悪くなり戦いに発展した（石山合戦）

信長に最もさからった僧
信長に最もさからった僧として知られ、武田氏、浅井氏、朝倉氏、毛利氏らの戦国大名と一緒に協力して、全国の浄土真宗の信者に対して信長を倒すよう呼びかけて攻撃（一向一揆）した。しかしその後、武田信玄が死去し、浅井・朝倉氏は信長に敗れ信長包囲網は崩れてしまう。そして顕如も降伏し、石山本願寺を明け渡した。

その後
信長の死後、豊臣秀吉と和睦する。秀吉は大坂城と城下町を整備したが、これは石山本願寺を基盤としたものであった。1591年、京都六条堀川の領地を与えられ、翌年、故地京都に本願寺を再興した（現在の西本願寺）が、同年50歳で死去。

石山本願寺跡 大阪府大阪市、大阪城公園内にある。

天下統一に向かう戦国大名の勢力範囲

16世紀後半から末ごろ、天下統一に向けて勢力を強める戦国大名があらわれました。それが尾張（愛知県）の織田信長です。戦いなどで勝利し、その領国支配を広げながら、室町幕府を倒し、信濃（長野県）の武田氏も破り、大きな勢力となりました。同じころ、九州では島津氏、中国地方では毛利氏、四国地方では長宗我部氏、越後（新潟県）では上杉氏、関東地方では北条氏が大きな勢力となっていました。

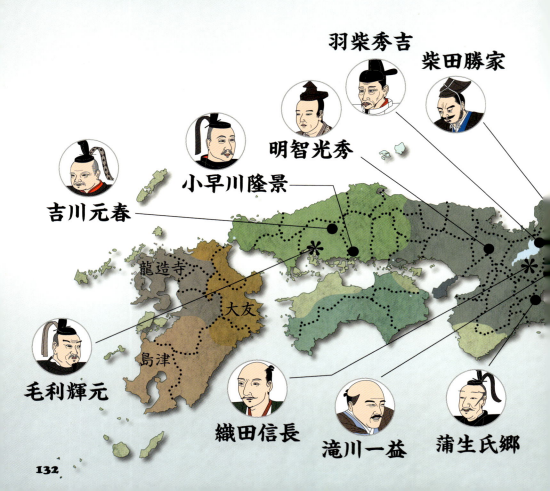

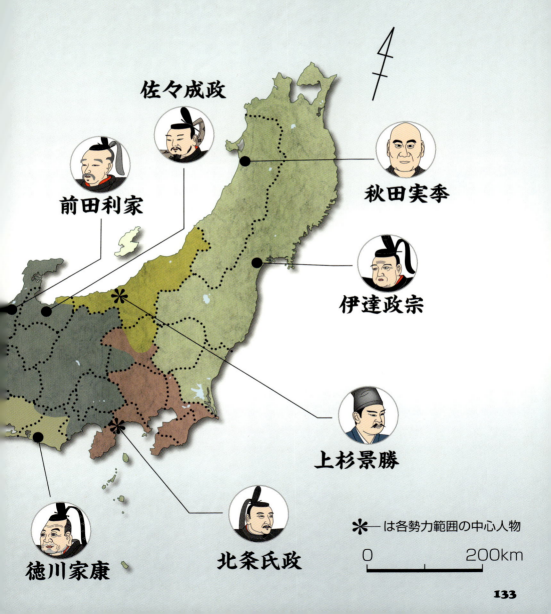

133

大阪府 豊臣秀頼 [とよとみ ひでより]
1593年 ▼ 1615年

秀吉晩年に授かった後継者

愛知県 浅野長政 [あさの ながまさ]
1547年 ▼ 1611年

豊臣政権の五奉行筆頭

生涯

文禄2年（1593年）
豊臣秀吉の次男として大坂城で生まれる。母は淀殿。幼名は「お拾い」

文禄4年（1595年）
秀吉の相続人として認められる

慶長5年（1600年）
関ヶ原の戦い
西軍の敗北で摂津、河内、和泉の60余万石の一大名となり徳川家康に従う

慶長19年（1614年）
大坂冬の陣 で徳川と和睦

元和元年（1615年）
大坂夏の陣
大坂城は徳川軍の総攻撃で落城、豊臣氏は滅亡した

エピソード

秀吉の遺言状
豊臣秀吉は病気で死が近づくと、徳川家康、前田利家、宇喜多秀家、毛利輝元、上杉景勝の5人（五大老）を呼び、「息子の秀頼のことを頼みます」という遺言を残したという。このとき、まだ6歳だった秀頼を心配しながら亡くなった。

巨漢
秀頼の身長は約197センチ、体重160キロもあったといわれている。また、秀吉が小柄だったため（秀吉の身長は150センチくらい）実子でないのではといわれている。

最期
大坂の陣で、徳川家康に敗れ、淀殿とともに自害。23歳という若さだった。

生涯

天文16年（1547年）
尾張（愛知県）の安井重継の子として生まれる。幼名は長吉
浅野長勝の養子となり織田信長につかえた。のち豊臣秀吉にもつかえた

文禄元年（1592年）
文禄の役
軍監として朝鮮に渡る

慶長3年（1598年）
豊臣政権のもとで五奉行となる

慶長5年（1600年）
関ヶ原の戦い
東軍として参戦。功績により息子に紀伊37万石があたえられる

慶長16年（1611年）
江戸にて死去

エピソード

名前
浅野長政という名前は晩年に改めたもので、それまでは長吉という名を長く用いていた。

囲碁好き
朝鮮出兵の際、長政は黒田官兵衛と大好きな囲碁を楽しんでいた。そこへ石田三成がやってきたが、ふたりは囲碁に夢中で三成を無視してしまう。これに激怒した三成が豊臣秀吉に告げ口をしたので、長政は三成と仲が悪くなり、関ヶ原の戦いでは徳川家康に味方したという。
家康ともよく対局したといわれ、長政が病死したとき、家康はあまりのショックで囲碁をしばらくやらなかったという。

広島県 小早川隆景
【こばやかわ たかかげ】
1533年 ▼ 1597年

豊臣政権下五大老の一角

神奈川県 北条氏綱
【ほうじょう うじつな】
1487年 ▼ 1541年

北条氏繁栄の礎を築いた二代目

生涯

天文2年（1533年）

毛利元就の三男として生まれる。幼名、徳寿丸。兄は吉川元春

天文13年（1544年）

竹原（広島県）の小早川家の養子となり家督を継ぐ。のち沼田小早川家も継ぐ

永禄10年（1567年）

三原城（広島県三原市）を築く

天正10年（1582年）

本能寺の変
秀吉の中国攻めでは毛利氏との交渉にあたり秀吉の信を得る

慶長2年（1597年）

6月、三原城にて死去

エピソード

毛利元就の三男

元就の素質を最も受け継いだといわれている。元就の命により、小早川家の養子に入り家督を継いだ。

性格

穏やかで、多くの人から愛された武将だったといわれている。

秀吉からの信頼

豊臣秀吉が天下統一へ名乗りを上げてから、秀吉の重要な家臣となる。「西日本は隆景に任せれば安心だ」と秀吉から信頼されていた。

仲良し

小早川隆景は黒田官兵衛と仲が良かったという。隆景が亡くなったとき、官兵衛はこれで日本に賢い人がいなくなったと悲しんだといわれている。

生涯

長享元年（1487年）

伊勢宗瑞（北条早雲）の子として生まれる。通称新九郎

永正15年（1518年）ころ

早雲より家督を継ぐ。虎の印判等を使用

大永4年（1524年）

江戸城の扇谷上杉朝興を攻めて河越城に敗走させ、小田原から武蔵へ拡大を図る。このころ姓を北条と改めた

大永6年（1526年）

この年、戦火で鎌倉鶴岡八幡宮が焼失した。後にその造営を行った

天文10年（1541年）

死去。55歳

エピソード

早雲の後継者

「最初の戦国大名」といわれた北条早雲の嫡男。26歳頃から早雲の後継者として政務を執る。32歳で家督を譲られ、早雲が翌年死去したため、第2代当主に。扇谷上杉家の上杉朝興の江戸城を攻略したころ、伊勢氏から北条氏に改姓。伊豆、相模、武蔵、下総などを征圧し、南関東の盟主となる。

勝って兜の緒を締めよ

有名な「勝って兜の緒を締めよ」は、戦にほとんど負けたことがなかった嫡男の北条氏康に対して氏綱が言った言葉とされている。

【名言】

義を守りての滅亡と、義を捨てての栄華とは、天地格別にて候

奈良県 高山右近 [たかやま うこん]
信長・秀吉に仕えたキリシタン大名
1552年 ▼ 1615年

世界遺産 潜伏キリシタン ～長崎と天草地方の潜伏キリシタン関連遺産～

「長崎と天草地方の潜伏キリシタン関連遺産」は、キリスト教が禁じられている中で、長崎と天草地方において日本の伝統的宗教や一般社会と共生しながら信仰を続けた潜伏キリシタンの信仰継続にかかわる伝統のあかしとなる遺産群です。禁教期にもひそかに信仰を継続していた長崎と天草地方における、潜伏キリシタン独特の文化伝統の証拠であることを評価され、2018年7月、世界文化遺産へ登録されました。

頭ヶ島天主堂

12の構成資産
原城跡（長崎県南島原市）
平戸の聖地と集落〈春日集落と安満岳〉（長崎県平戸市）
平戸の聖地と集落〈中江ノ島〉（長崎県平戸市）
天草の﨑津集落（熊本県天草市）
外海の出津集落（長崎県長崎市）
外海の大野集落（長崎県長崎市）
黒島の集落（長崎県佐世保市）
野崎島の集落跡（長崎県北松浦郡）
頭ヶ島の集落（長崎県南松浦郡）
久賀島の集落（長崎県五島市9）
奈留島の江上集落〈江上天主堂とその周辺〉（長崎県五島市）
大浦天主堂（長崎県長崎市）

生涯

天文21年（1552年）
キリシタンであった父・高山図書（友照）の嫡男として、摂津に生まれる

永禄7年（1564年）
12歳でキリスト教徒として洗礼を受ける。洗礼名はジュスト

天正元年（1573年）
21歳で高槻城主に。織田信長に仕える

天正10年（1582年）
本能寺の変
山崎合戦では豊臣秀吉につき、以降戦功をあげる

天正15年（1587年）
バテレン追放令の発令でも信仰を捨てず領地を没収される。以後、前田利家などの保護を受ける

慶長19年（1614年）
江戸幕府の禁教令によりマニラに追放

慶長20年（1615年）
マニラにて病没、殉教

高山右近像 富山県高岡市、古城公園内にある銅像。高岡城は高山右近によって築城されたと言われている。

エピソード

キリスト教の信者
松永久秀に仕えていた父・高山友照がキリスト教に感化され、家族そろって入信したのがきっかけ。洗礼名はポルトガル語で正義の人を意味するドン・ジュスト。高山右近12歳のときだった。

西洋からもたらされたキリスト教。戦国時代には日本中に広まり、権力者と結びついて多くのキリシタン大名を生んだ。ほとんどのキリシタン大名が求めたのは西洋との交易による利益と鉄砲という最新兵器だった。

信長に降伏
織田信長に仕える荒木村重の家臣だったが、村重は信長を裏切って反乱を起こした。

右近は自分の家族を人質として差し出して村重を説得したが失敗に終わった。信長はキリシタンを皆殺しにすると脅したため、右近は居城の高槻城を捨て、紙子を着て信長に降伏。信長は右近を許して褒美をあたえたという。

日本を追放され病死
信長の死後、秀吉に仕えた。秀吉の天下取りに協力してキリシタン大名として知られるようになった。右近の人柄もあり、キリシタンが増えたが秀吉はキリストを禁止した。右近は前田利家のもとに身をかくすが、その後、天下統一を果たした徳川家康が、キリシタンを国外追放する法律を出した。右近はフィリピンに逃げたが、船旅の疲れとマニラの暑熱により病死した。

潔癖症
茶会で亭主を務めるときは、茶室はもちろん、茶席の縁の下まで綺麗に掃き清めたという。右近の茶には「清の病」があるといわれた。

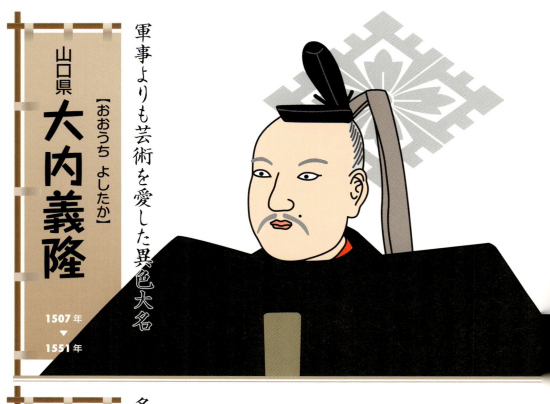

山口県
大内義隆
【おおうち よしたか】
1507年 ▼ 1551年

軍事よりも芸術を愛した異色大名

奈良県
松永久秀
【まつなが ひさひで】
1510年 ▼ 1577年

名物茶釜「平蜘蛛」を抱えて爆死した武将

生涯

永正4年（1507年）
室町幕府の守護大名、大内義興の子として生まれる。幼名は亀童丸

享禄元年（1528年）
家督を継ぎ、周防・長門（山口県）、豊前（大分県）、筑前（福岡県）、石見（島根県）、安芸（広島県）を守護する

天文10年（1541年）
安芸の武田氏を滅ぼす

天文19年（1550年）ころ
宣教師ザビエルに領国でのキリスト教布教を許し、西洋文化を輸入

天文20年（1551年）
家臣の陶晴賢の謀反にあい、長門大寧寺で没する

エピソード

⬤ 家督相続
大内義興の長男。父の死によって家督を相続する。周防、長門、安芸、豊前、筑前、石見の6か国の守護となった。

⬤ ザビエル
山口を訪れたフランシスコ・ザビエル一行に布教を許可している。

⬤ 文化人大名
文化人として知られ、公家や学者を山口に招き、文物の導入に努め、文化人大名と呼ばれた。

⬤ 最期
学芸にのめり込む義隆に対し、家臣の陶晴賢は危機感を覚え、謀反を計画する。晴賢のクーデターにより、義隆は長門深川の大寧寺で自害に追い込まれた。

生涯

永正7年（1510年）
出自は不明だがこの年に生まれる

天文10年（1541年）ころ
畿内に勢力をもつ三好長慶に仕える

永禄2年（1559年）以降
奈良に入って信貴山城（生駒郡平群）や多聞城（奈良市内）を居城とする

永禄10年（1567年）
三好三人衆（三好氏の一族・重臣）との戦いで東大寺大仏殿を焼き打ち

永禄11年（1568年）
織田信長が京都に入った時には降伏し、奈良の支配を許された

天正5年（1577年）
武田や上杉を頼って信長に反抗し、信貴山城に火を放って亡くなる

エピソード

⬤ 125歳まで生きる
久秀は、自分は125歳まで生きると宣言したことがあったという。久秀が鈴虫を飼っていたときのこと。鈴虫の寿命は長くても1年とされているが、丹念に養ったため、なんと3年も生きることができたという。人間も養生すれば125歳まで生きるのではないかといったと言われる。

⬤ 茶釜
久秀は、織田信長を裏切って戦い、信貴山城を包囲されたとき、信長から「平蜘蛛という茶釜を渡せば命を助けてやる」と言われた。しかし、秀久はこれを断って、平蜘蛛に火薬を入れて爆発させた後に切腹したという。

141

愛知県
池田輝政
【いけだ てるまさ】

姫路城の基礎を築いた人物

1564年 ▼ 1613年

 池田輝政／ゆかりのお城

◆ 姫路城（白鷺城）

　兵庫県姫路市にある。国宝。天守の高さ31.5mは、江戸時代までに築城された現存天守12城のなかで最大。慶長14年（1609年）、池田輝政が築城しました。白漆喰総塗籠造（しろしっくいそうぬりごめづくり）の美しい姿が、天空に翼を広げた白鷺を連想させることから、白鷺城とも呼ばれています。この白さの秘密は、外壁や瓦の接着面に使われた白漆喰という石灰の分量の多い漆喰材にあります。これは燃えやすい材料を漆喰で徹底的にコーティングすることで、防火性を高めることを意図したものです。漆喰は防水・防火のための仕上げ剤なのです。

◆ 日本初の世界遺産登録

　平成5年（1993年）12月、奈良の法隆寺とともに、日本で初の世界文化遺産となりました。世界文化遺産は、文化庁が国宝や重要文化財などに指定している歴史的、普遍的価値のあるものの中から推薦され、イコモス（国際記念物遺跡会議）の審査を経て、ユネスコの世界遺産委員会で正式に指定されます。姫路城は17世紀初頭の日本の城郭建築を代表する史跡建造物として評価を得ました。（姫路城ホームページより　http://www.city.himeji.lg.jp/）

（現存天守12城　参照→ p.111）

生涯

永禄7年(1564年)
池田恒興の次男として清洲に生まれる

天正12年(1584年)
小牧・長久手の戦い
秀吉に仕え、父と兄が戦死したため大垣城(岐阜県)を継承、家督を継ぐ

慶長5年(1600年)
関ヶ原の戦い
家康の娘婿として東軍に味方し、戦功を上げる。播磨(兵庫県)姫路藩主池田家初代となる。52万石

慶長6年(1601年)
姫路城の大規模改修を行い、現在の姿に(～1609年)

慶長18年(1613年)
姫路城にて没

エピソード

家督を継承、大垣城主に
織田信長の重臣、池田恒興の次男。小牧・長久手の戦いで父と兄が相次いで戦死したため、池田氏の家督を継承、大垣城主となる。

家康の娘
豊臣秀吉は輝政の父・恒興と兄・元助の死を非常な負い目に思い、輝政を引き立てた。輝政もそれにこたえるように戦で功績をあげた。輝政が正室を失ったときに、徳川家康の娘、督姫との間をうまく取り持って再婚させたのも秀吉だったという。家康の娘・督姫を妻にした義政は、秀吉の死後、家康方についた。

背が低い
身長が低かったようで、酒宴の席で輝政の背の低さをからかわれた際に「われ身短小にして勇功あり。背の高きをもって尊しとせず」と反論した。

◆ 菱の門

◆ 水の門

◆ にの門

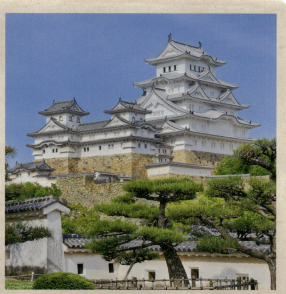

143

兵庫県 黒田長政 【くろだ ながまさ】

1568年 ▼ 1623年

関ヶ原の戦いの東軍切り込み隊長

岐阜県 古田織部 【ふるた おりべ】

1544年? ▼ 1615年

「へうげもの」で知られる武将茶人

生涯

永禄 11 年（1568 年）
黒田孝高（官兵衛）の長男として姫路で生まれる。幼名は松寿、通称吉兵衛

天正 5 年（1577 年）
父・孝高が織田信長に従ったため、人質とされ、のち秀吉に預けられる

天正 10 年（1582 年）
本能寺の変　秀吉の中国攻めに従ったのち、賤ヶ岳の戦いで活躍

天正 17 年（1589 年）
父から家督を継いで豊前中津（大分県）に 12 万石の所領を得る

慶長 5 年（1600 年）
関ケ原の戦い　東軍に属し、戦功を上げて筑前国 52 万石を得て、福岡城を築城。福岡藩初代藩主となる

エピソード

⚜ 家康に近づく
秀吉の死後、徳川家康に近づいた。石田三成ら吏僚派との対立が根強かったためといわれている。

⚜ 切り込み隊長
関ヶ原の戦いでは、小早川秀秋、吉川広家など、西軍の武将たちの寝返り交渉や、東軍の切り込み隊長の役目を果たすなど活躍した。

⚜ 家康を刺せば天下を取れた！
関ヶ原の戦いの直後、徳川家康から手を取って感謝された。そのことを父の黒田官兵衛に話すと、どっちの手であったかと聞かれ、右手と答えた。官兵衛は、そのとき左手は何をしていたのかと叱責した。（その左手で家康を刺せば天下を取れた）

生涯

天文 13 年（1544 年）？
美濃（岐阜県）で生まれる。本名重然、通称左介。天文 12 年生まれともいわれる

天正 10 年（1582 年）ころ
千利休に弟子入りし、茶の湯を習う

天正 13 年（1585 年）
豊臣秀吉が関白になったおりに、織部正に任じられ、京都西岡を与えられる

慶長 20 年（1615 年）
大坂夏の陣において、豊臣方との内通を疑われ親子で切腹

エピソード

⚜ 茶の湯名人
本名は古田重然。織田信長、豊臣秀吉に仕えた大名茶人。「天下一の茶の湯名人」と称えられ、利休亡きあと、茶の湯の第一人者に。

⚜ 織部好み
「人と違うことをするのが大切である」という利休の茶道を継承しつつ、「へうげもの（ひょうきんなもの）」と呼ばれるゆがんだ茶陶を用い、自ら作り上げる奇抜な美を追求して「織部好み」と呼ばれる流行を生み出した。

⚜ 徳川秀忠に茶道を教える
秀吉亡きあとは徳川家康につき、関ヶ原の戦いでは東軍に参戦。最初は石田三成側だった佐竹義宣を中立の立場にさせた功績で徳川2 代将軍・秀忠の茶道指南役となった。

京都府 足利義輝【あしかが よしてる】

1536年 ▼ 1565年

義昭の実兄。室町幕府13代将軍

京都府 細川忠興【ほそかわ ただおき】

1563年 ▼ 1645年

父・幽斎とともに三英傑に仕えた武将。千利休七哲のひとり

生涯

天文 5 年（1536 年）
室町幕府 12 代将軍の足利義晴の長男として、京都で生まれる

天文 15 年（1546 年）
父・義晴の近江亡命中に六角氏の助力で将軍に就任

天文 22 年（1553 年）
三好長慶と対立して近江に亡命する

永禄元年（1558 年）
長慶との和睦により京都に戻る。その後、織田信長らの力を借りて将軍家の権威回復を図る

永禄 8 年（1565 年）
松永久秀らに殺害される

エピソード

🔘 京都を追われる
室町幕府 13 代将軍。1546 年に征夷大将軍となるが、翌年、室町幕府の管領であった細川晴元に京都を追われる。晴元が三好長慶に敗れると、病身の父・義晴とともに近江坂本に逃れ、義晴が亡くなった後は朽木に移った。

🔘 京都に戻る
1558 年、六角義賢の尽力により、長慶と和解して義輝は京都に戻る事ができた。

🔘 最期
長慶の死後、いよいよ将軍親政に向けて動き出すも、長慶の勢力を受け継いだ松永久秀と三好三人衆によって居城としていた二条御所を襲撃され、殺されたといわれる。

生涯

永禄 6 年（1563 年）
細川幽斎(藤孝)の長男として生まれる

天正 6 年（1578 年）
織田信長に仕え、明智光秀の娘・玉子（細川ガラシャ）を妻に迎える

天正 10 年（1582 年）
本能寺の変
光秀の娘婿だったが従わなかった

慶長 5 年（1600 年）
関ヶ原の戦い
徳川家康に従い、戦功を上げる。豊前（大分県）中津藩 30 万石を得る

元和 6 年（1620 年）
家督を三男の細川忠利に譲る

正保 2 年（1645 年）
83 歳で没

エピソード

🔘 細川ガラシャを守った
細川幽斎の長男。明智光秀の娘・玉子（細川ガラシャ）と結婚。本能寺の変の際光秀から協力を求められたが、それを断り、ガラシャを守るために丹後の山奥に屋敷をつくり、2 年もの間、ガラシャを閉じ込めた。妻、ガラシャをとにかく愛していて、戦に行くときには家臣に「妻が他の人のものになりそうなときにはガラシャを殺せ」と命じていた。

🔘 三成嫌い
本能寺の変ののち豊臣秀吉の家臣になるが、秀吉の死後は、秀吉に仕えていた石田三成が嫌いだったため、徳川家康に近づいた。関ヶ原の戦いでは徳川軍（東軍）についた。

🔘 文化人
父・細川幽斎とともに、和歌・絵画などを楽しんだ。千利休の弟子で、利休に最も気に入られていた弟子だといわれ、茶道の名人としても知られた。

東京都
太田道灌
[おおた どうかん]
1432年 ▼ 1486年

江戸城を築いたことで知られる武将

和歌山県
浅野幸長
[あさの よしなが]
1576年 ▼ 1613年

父・長政とともに秀吉に仕え、天下統一に貢献

生涯

永享 4 年（1432 年）

扇 谷上杉家の重臣・太田資清の子として生まれる

康正元年（1455 年）

家督を継ぎ扇谷上杉家に仕える

康正 3 年（1458 年）ころ

江戸城を築城し、拠点とした

文明 8 年（1476 年）

長尾景春の乱がおきる（〜12 年まで）

文明 18 年（1486 年）

主君である上杉定正に暗殺される

エピソード

江戸城を築いた

　関東に拠点をもつ扇谷上杉氏の重臣。扇谷上杉氏の勢力拡大に貢献した戦国時代初期の名軍師として、また、城づくりの名手としても知られている。江戸城を築城したほか、河越城（埼玉県川越市）なども築城した。道灌は、それまでは品川の湊近くに住んでいたが、房総地方の武将であった千葉氏の勢いを抑えるために江戸城を築城したと言われている。

当方滅亡

　上杉氏内部の対立抗争に巻き込まれて、暗殺されてしまう。風呂に入っていた道灌を、家臣に槍で突いて殺させたといわれている。襲われた瞬間、道灌は「当方滅亡！」と叫んだという。

生涯

天正 4 年（1576 年）

浅野長政の長男として生まれる

天正 18 年（1590 年）

父・長政とともに豊臣秀吉に仕え、小田原城攻めに従う

慶長 2 年（1597 年）

慶長の役（朝鮮出兵）

蔚山城の攻防では明の大軍に包囲され苦戦した

慶長 5 年（1600 年）

関ヶ原の戦い

石田三成と対立し、徳川方（東軍）に従い戦功を上げた。戦後、紀伊（和歌山県）37 万石を得た

慶長 18 年（1613 年）

和歌山で没

エピソード

秀吉に仕える

　浅野長政の長男。父は豊臣秀吉の正室、ねねの義弟で豊臣政権の五奉行の一人となっている。幸長は、本能寺の変で織田信長死後、豊臣秀吉に仕えた。

関ヶ原の戦い

　加藤清正、福島正則、黒田長政らとともに石田三成を憎み、関ヶ原の戦いでは徳川家康の東軍につき、池田輝政らと岐阜城を攻撃、合戦後、紀伊 37 万 6500 石余を与えられた。家康の天下を容認するも、豊臣の繁栄を願っていて豊臣秀頼を擁護し続けた。

疑惑死

　和歌山城で死去。享年 38。死因は梅毒ともいわれているが、豊臣家への忠誠心が原因で徳川方が暗殺したのではないかという説もある。

兵庫県 荒木村重 【あらき むらしげ】
1535年 ▼ 1586年

信長に謀反を起こし、一族皆殺しの目にあった武将

静岡県 井伊直政 【いい なおまさ】
1561年 ▼ 1602年

「井伊の赤鬼」と恐れられた武将。徳川四天王のひとり

生涯

天文 4 年（1535 年）
摂津（大阪府・兵庫県）に生まれる。
父は摂津国人池田氏に仕えた

永禄 11 年（1568 年）
織田信長による摂津攻めで降伏し、以
降は信長に従う

天正元年（1573 年）
将軍・足利義昭を京都から追放する際
に功を上げ、摂津一国を得る

天正 6 年（1578 年）
石山本願寺や毛利氏と結び信長に背く。
戦いに敗れて逃れる

天正 14 年（1586 年）
堺で没する

エピソード

刀に刺さったまんじゅう
　織田信長と足利義昭が対立すると、信長に
つくことを決意した村重は、信長と対面した
際、信長は無言で刀を抜いて剣先にまんじゅ
うを刺し、村重の鼻先に突きつけた。すると
村重はそれに動じることなく大口を開いて食
べてみせた。

信長に反旗
　1578 年、突如、信長に反旗を翻して有岡
城（大阪府伊丹市、伊丹城）に籠城する。信
長は村重に対して「降伏して尼崎城と華熊城
を明け渡せば、妻子の命は助ける」としたが、
村重はその申し出を断り尼崎城へ逃亡、妻子
や家臣は見捨てられたかたちになり尼崎近く
の七松において処刑され、村重は家族を見捨
てて逃げ出した卑怯者として語り継がれるこ
とになる。最後は毛利氏に亡命し、尾道に隠
遁したといわれる。

生涯

永禄 4 年（1561 年）
今川氏の重臣、井伊直親の子として、
遠江国井伊谷（静岡県浜松市）で生
まれる。幼名は万千代。のち徳川家康
に仕える

天正 10 年（1582 年）
武田氏の滅亡により、甲州（山梨県）
を所領として得る

慶長 5 年（1600 年）
関ヶ原の戦い
戦いの口火を切り、戦功を上げ、近江
（滋賀県）佐和山城主となる。18 万
石。彦根藩主井伊家初代となる

慶長 7 年（1602 年）
関ヶ原の戦いでの負傷がもとで亡くな
る。42 歳

エピソード

徳川四天王
　徳川四天王のひとり。直政が 15 歳のとき
に、鷹狩りに来ていた徳川家康に出会い、家
臣にしてもらったといわれている。

井伊の赤鬼
　武田家が滅びた後、甲冑や武器を赤色でそ
ろえていた武田家の最強部隊・赤備えを引き
継ぎ、戦場で活躍。「井伊の赤備え」「井伊の
赤鬼」などと敵将に恐れられたという。

関ヶ原では先陣
　手柄を立てたかった関ヶ原の戦いでは、い
つも最初に攻撃する福島正則率いる福島隊の
前で「偵察中」とウソをつき、「赤備え」を
率いて先陣として戦ったという。みごと徳川
軍（東軍）を勝利に導く。

滋賀県 大谷吉継 【おおたに よしつぐ】

石田三成と苦楽をともにした武将

1559年 ▼ 1600年

愛知県 加藤嘉明 【かとう よしあきら／よしあき】

築城の名手として知られた武将

1563年 ▼ 1631年

生涯

永禄2年（1559年）
近江（滋賀県）で生まれる（永禄8年・1565年を生年とする説も有力）

天正11年（1583年）
豊臣秀吉に仕え、賤ヶ岳の戦いでは戦功を上げる

天正17年（1589年）
越前（福井県）敦賀城主となり、5万石を得る

慶長5年（1600年）
関ヶ原の戦い
家康の会津討伐に従おうとしたが、石田三成の説得をうけ、やむなく西軍で参戦。小早川の裏切りを懸念しながら対応したが惨敗。亡くなる

エピソード

⚑ 親友
　石田三成とは同じ近江出身で年齢も同じ。一緒に行動することが多く吉継は三成に対して何でも言える間柄だったという。

⚑ 白い頭巾
　ハンセン病を患っていて、頭を白い頭巾で隠していたことで知られている。

⚑ 茶会で鼻水
　秀吉が大坂城で開いた茶会に出席した際、列席者はひとつの茶碗を使ってお茶を回し飲みしていたのだが、病を患っていた吉継は、茶碗に鼻水を落としてしまった。一同が戸惑いを隠せないなか、三成は「喉が渇いて待ちきれない」と言ってその茶碗を取って飲み干した。吉継は、この時の三成の気遣いを一生忘れなかったといわれている。

生涯

永禄6年（1563年）
三河（愛知県）で生まれる

天正11年（1583年）
本能寺の変後、豊臣秀吉に従い、賤ヶ岳の戦いでは秀吉の七本槍の一人として活躍

慶長5年（1600年）
関ヶ原の戦い
秀吉没後は家康に従い、東軍として参戦する。戦功より、加増される

慶長8年（1603年）
伊予松山城が完成し、松山に入る

寛永4年（1627年）
大坂の陣での戦功などにより会津若松藩（福島県）に移封

寛永8年（1631年）
病を得て江戸で没する

エピソード

⚑ 賤ヶ岳の七本槍
　松平家康の家臣・加藤教明の長男。「賤ヶ岳の七本槍」のひとり。
　朝鮮出兵では水軍の将として出陣し、慶長の役の漆川梁の海戦で鎧に蓑のように矢を浴びながらも敵の船を乗っ取るなど活躍を見せた。

⚑ 関ヶ原の戦い
　関ヶ原の戦いでは徳川方（東軍）につき、その功績が認められて、伊予藩（愛媛県）で20万石加増された。後には、陸奥国・会津40万石の大大名になった。

⚑ 松山城の建設
　松山城を20年以上かけて作り上げたが、完成直前に会津に領地を移されたという経緯もある。松山城は現存する江戸期以前に築城された天守閣をもつ城として知られている。

滋賀県 蒲生氏郷【がもう うじさと】

1556年 ▼ 1595年

信長・秀吉に仕え、高く評価された武将

広島県 吉川元春【きっかわ もとはる】

1530年 ▼ 1586年

弟・小早川隆景とともに毛利氏を支えた武将

生涯

弘治2年（1556年）

六角氏の重臣であった父・蒲生賢秀の長男として生まれる

永禄11年（1568年）

父が織田信長に従うこととなり、人質として岐阜城にはいる

天正10年（1582年）

本能寺の変 信長の家族を日野城に匿い籠城。のちに秀吉に従う

天正12年（1584年）

小牧・長久手の戦い 秀吉のもとで戦功を上げる。伊勢松ヶ島（三重県松坂市）12万石を得る

文禄4年（1595年）

病となり、京都にて没する

エピソード

名前

もとは蒲生賦秀という名前だったが、豊臣秀吉の「秀」が下にあるのはよくないということで「氏郷」に改名。キリシタン大名でもあり、洗礼名はレオン。

氏郷を恐れた秀吉

賢秀が織田信長に仕えたことから人質になったが、信長に才能を見込まれ、信長と秀吉のもとで優れた武将に成長。後に会津若松の大名になるが、氏郷を恐れた秀吉により上方の伊勢から奥羽へ左遷されたという説がある。

毒殺説

1595年、40歳の時、伏見屋敷で死去。顔色が土色になり、目の下が腫れるなど、死に方が異常だったために毒殺説もある。

生涯

享禄3年（1530年）

毛利元就の次男として生まれる

天文16年（1547年）

安芸から石見に勢力を持つ吉川興経（母方のいとこ）の養子となり家督を継ぐ

弘治元年（1555年）

厳島の戦いで陶晴賢を破る。以降も本家毛利家の中国平定に尽力

天正10年（1582年）

本能寺の変 高松城で毛利本家が豊臣秀吉と和睦するも、これを嫌い、以後隠居

天正14年（1586年）

秀吉の九州平定に参戦するも、小倉城にて没する

エピソード

若い頃

おとなしい性格の長男・毛利隆元とは違い、血気盛んな性格で、元就の反対を押し切って12歳で初陣。その戦いぶりに元就も感心したという。

天才軍略家

秀吉の大軍をわずかな兵で撃退するなど戦上手として知られ、生涯に77戦して64回の勝ちを収めたといわれている。

正室は不美人

元春は家臣・熊谷信直の娘と結婚。生涯側室を置かず4男2女に恵まれ、夫婦仲はとても良かったという。熊谷信直の娘は、不美人と評判だったが、元春が結婚した理由は「不美人で結婚相手がいない娘を正室にすれば信直は私に尽くすだろう」と語ったという。

三重県 九鬼嘉隆 [くき よしたか]

織田信長に仕官した九鬼水軍の頭領

1542年 ▼ 1600年

愛知県 酒井忠次 [さかい ただつぐ]

徳川四天王の筆頭だった武将

1527年 ▼ 1596年

生涯

天文 11 年（1542 年）
志摩（三重県）田城城主九鬼定隆の子としてに生まれる

永禄 12 年（1569 年）
はじめ伊勢北畠氏に仕えたが、織田信長が北畠を攻めた際に、従う

天正 2 年（1574 年）
伊勢長島の一向一揆を志摩水軍を率いて攻め、信長を助けた

天正 6 年（1578 年）
石山本願寺攻めで、毛利水軍を破った。その後鳥羽城 3 万 5 千石をえた

慶長 5 年（1600 年）
関ヶ原の戦い
西軍に属し、敗北が決定したことから自害した

エピソード

🔵 九鬼水軍
　九鬼氏はもともと熊野の国司、北畠氏に仕える熊野水軍に属していた。のちに志摩海賊七人衆と呼ばれる海賊のひとりとなった嘉隆は、織田信長の家臣、滝川一益と知り合ったことがきっかけで、信長に仕えることになった。嘉隆を、信長は信頼していった。

🔵 海賊大名
　石山合戦の第一次木津川口の戦いで、村上水軍（瀬戸内水軍）の手投げ弾や火矢攻撃で、九鬼水軍の多くの船が燃えて、大敗してしまう。信長から「燃えない船をつくれ」と命じられ、嘉隆は、大型船の表面に鉄板を張りつけた「鉄甲船」をつくった。第二次木津川口の戦いで、鉄甲船は毛利軍の水軍を完全に打ち破って大活躍し、信長に多くのご褒美をもらって「海賊大名」と呼ばれた。

生涯

大永 7 年（1527 年）
三河（愛知県）に生まれる。父は松平家に仕えた酒井忠親

永禄 7 年（1564 年）
幼い頃から仕えた徳川家康が三河一国を統一し、吉田城（愛知県豊橋市）をまかされる。以後、家康が出陣した戦いに参戦、戦功を上げる

天正 16 年（1588 年）
家督を子の家次に譲って隠居

慶長元年（1596 年）
70 歳で死去

エピソード

🔵 徳川四天王の筆頭
　徳川家康に仕えた武将で江戸幕府の樹立に功績を立てた酒井忠次、本多忠勝、榊原康政、井伊直政。この 4 人は「徳川四天王」と呼ばれた。その筆頭が忠次だった。

🔵 酒井の太鼓
　三方原の戦いで、武田軍に敗れた家康は、浜松城に逃げ帰った。武田軍は家康を追って浜松城まで来たが、そのとき忠次は太鼓を打ち鳴らした。その音に驚いた武田軍は、家康に何か作戦があるに違いないと思って、引き返したという。

🔵 【名言】
　首を取ることなかれ、切り捨てにせよ。
　白旗を挙げば軽く引きて、敵を追うことなかれ

香川県 仙石秀久 【せんごく ひでひさ】
1552年 ▼ 1614年

戸次川の戦いで敗れ改易も小田原戦で大名に返り咲く

滋賀県 滝川一益 【たきがわ いちます／かずます】
1525年 ▼ 1586年

鉄砲の手腕を信長に売り込んだ武将

生涯

天文 21 年 (1552 年)

美濃 (岐阜県) に生まれる。父は仙石久盛

天正 2 年 (1574 年)

織田信長に仕え、近江 (滋賀県) 野洲郡に 1000 石を得る

天正 13 年 (1585 年)

信長の死後、豊臣秀吉に仕え、四国攻めの戦功から讃岐 (香川県) をえて高松城主となる

慶長 5 年 (1600 年)

関ヶ原の戦い

東軍として参戦し上田城攻略に加わる

慶長 19 年 (1614 年)

64 歳で死去

エピソード

若い頃

美濃の豪族の家に生まれた秀久は、最初は美濃の斎藤龍興に仕えた。しかし、龍興が織田信長に滅ぼされると、体格が良い秀久は、信長に仕えることになった。秀吉の下につけられると、最古参の家臣として順調に出世していったという。

九州平定で大惨敗

九州平定では、秀吉の命令を無視して攻勢に出てしまう。しかし、これが罠で「釣り野伏せ」という島津氏お得意の戦法でいつの間にか包囲され、秀久軍は長宗我部信親などの四国の有力武将ら多くが討ち死にした。しかも、秀久は味方を置いて逃げ帰ってしまい、島津側からは「三国一の臆病者」と笑われ、味方からも非難をあびた。その後、秀吉に激怒され、敗戦の責任を負って改易、高野山追放の処分に。

生涯

大永 5 年 (1525 年)

近江 (滋賀県) に生まれる

天正 2 年 (1574 年)

織田信長に仕え、長島の一向一揆の平定後、長島城主となる

天正 10 年 (1582 年)

本能寺の変

天正 11 年 (1583 年)

賤ヶ岳の戦いで柴田勝家に組したが豊臣秀吉に敗れる

天正 12 年 (1584 年)

秀吉側についた小牧・長久手の戦いで徳川家康に敗れ、越前大野 (福井県) に引退した

天正 14 年 (1586 年)

62 歳で死去

エピソード

鉄砲名人

織田信長の家臣。近江国甲賀の出身で、忍者であったという説もある。若い頃から鉄砲の訓練をしていて、鉄砲の名人ともいわれる。故郷を追われる原因とされる一族暗殺事件も鉄砲によるものといわれている。

進むも滝川、退くも滝川

攻撃するタイミングや退却するタイミングが非常に上手かったといわれ、「進むも滝川、退くも滝川」と評された。鉄砲隊や水軍の扱いも上手かった。

落雷に動じず

ある日、桑名城で一益が本を読んでいた時、庭に雷が落ちて家臣が大騒ぎした。ところが一益だけは顔色ひとつ変えずそのまま読書を続けていたという。

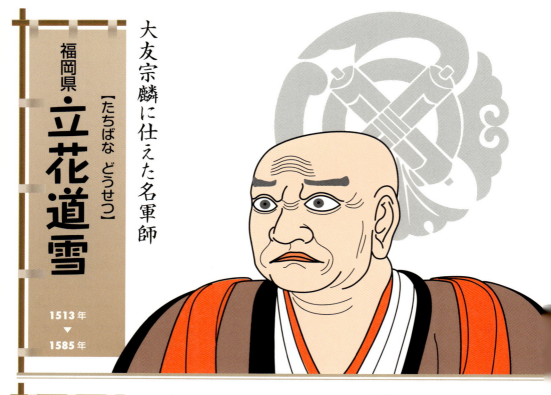

福岡県・立花道雪
[たちばな どうせつ]
大友宗麟に仕えた名軍師
1513年 ▼ 1585年

奈良県・筒井順慶
[つつい じゅんけい]
本能寺の変でのあいまいな態度により「日和見順慶」といわれた
1549年 ▼ 1584年

生涯

永正 10 年（1513 年）
豊後（大分県）の大友宗麟の重臣、戸次親家の子として生まれる。幼名は八幡丸。のち大友宗麟に仕え、名軍師として知られる

永禄 11 年（1568 年）
宗麟の命令で筑前（福岡県）の立花鑑載をたおす

元亀 2 年（1571 年）
立花家をついで筑前一国を支配

天正 13 年（1585 年）
70 歳で陣中で死去

エピソード

雷神の化身
　35 歳頃のある夏の日、道雪が木陰で涼んでいると、急に天候が悪くなり雷が鳴った。稲妻が襲ってきた瞬間、道雪はとっさに刀を抜いて雷を切り払ったといわれている。そのため、下半身の自由を失ってしまったが、一命は取り留めたことから「雷神の化身」とうわさになったという。また、道雪はこの時の刀を「雷切」と呼び、いつも持ち歩いていたといわれている。

輿で指揮をとる
　下半身の自由を失ってからも猛将ぶりは変わらず、戦場では自分が乗った輿を戦場の中央に運ばせ指揮を執り「鬼道雪」と呼ばれた。

生涯

天文 18 年（1549 年）
大和（奈良県）・興福寺衆徒の家に生まれる

天文 19 年（1550 年）
父・順昭の死により家督を継ぐ

永禄 2 年（1559 年）
松永久秀らが大和に乱入し、その地を追われる

元亀 2 年（1571 年）
明智光秀の助力で織田信長に従い、松永らの討伐にむかう

天正 8 年（1580 年）
信長により大和一国をあずかる。大和郡山城を築く

天正 12 年（1584 年）
病を得て、36 歳で死去

エピソード

元の木阿弥
　順慶は大和国（奈良県）を統一した筒井順昭の子。だが、順慶が 2 歳のときに、父・順昭は病死してしまった。その死を隠すため、順慶が成人するまで、順昭と声の似ていた木阿弥という男を替え玉として病床に置いたという。順慶が成長し、順昭の死を公にし、木阿弥はまたもとの生活に戻ったことから、元の木阿弥という語の始まりといわれている。

日和見順慶
　松永久秀によって順慶は大和を追われるが、のちに、明智光秀の口利きによって織田信長に接近、旧領を回復。信長政権では光秀の下にいたが、本能寺の変ではあいまいな態度で「日和見順慶」といわれた。状況を見て、山崎の合戦以降は秀吉について領地を守った。

愛知県 豊臣秀長 [とよとみ ひでなが]

1540年 ▼ 1591年

秀吉の弟。秀吉の右腕として貢献

福岡県 鍋島直茂 [なべしま なおしげ]

1538年 ▼ 1618年

龍造寺隆信を支えた義兄弟で名軍師

162

生涯

天文 9 年（1540 年）

豊臣秀吉の弟として、尾張中村（愛知県名古屋市中村）に生まれる。通称小一郎

天正 2 年（1574 年）

伊勢長島一向一揆攻めで先陣をつとめて活躍

天正 13 年（1585 年）

四国攻めでは秀吉の名代をつとめ、その戦功により大和郡山城主となる

天正 15 年（1587 年）

九州平定に際しても活躍

天正 19 年（1591 年）

大和郡山城で 52 歳で病死

エピソード

秀吉の弟

豊臣秀吉の 3 歳下の弟である秀長は、秀吉を、注意できた唯一の人物。長島一向一揆で武功を上げ、秀吉と同じ羽柴の姓を賜る。秀吉は信頼しきっていた秀長が病気で亡くなった後、千利休を切腹させるなど、無茶な行動が目立つようになったといわれている。

長命なら

軍事力、政治力に優れ、秀吉の片腕として天下統一事業を支えた。52 歳で病死したが、もし長命であれば、豊臣政権は存続していただろうといわれている。

性格

温厚な人柄で、誰からも信頼されたという。

生涯

天文 7 年（1538 年）

肥前（佐賀県）の土豪の家に生まれる

天正 12 年（1584 年）

仕えていた龍造寺隆信が戦死。その子、政家をたてて、実質的に龍造寺家の実権を握った。豊臣秀吉に仕える

文禄元～2 年（1592～93 年）

文禄の役

朝鮮出兵での功績により秀吉に所領を認められる。朝鮮の陶工を連れ帰る

慶長 5 年（1600 年）

関ヶ原の戦い

はじめ西軍であったが、西軍の立花氏を攻め破り、その功により徳川家康から領地を安堵された

元和 4 年（1618 年）

81 歳で死去

エピソード

龍造寺の仁王門

肥前の龍造寺隆信は義兄弟にあたり、その重臣として仕えた。隆信とはとても仲が良く、隆信と並んで「龍造寺の仁王門」とまで称された。だが、晩年になると隆信が酒色に溺れ、次第に疎遠になっていったといわれている。

夜襲をしかける

1570 年、今山の戦い（現佐賀県佐賀市付近）では、わずか 5000 の龍造寺軍が 6 万の大軍・大友宗麟軍相手に勝利をおさめた。直茂は、大友軍が龍造寺軍に総攻撃をしかける前の日に、宴会を開くことを知ったため、夜襲をしかけて成功したという。

肥前・佐賀藩

関ヶ原の戦いでは当初西軍に組したが、時機を見て東軍にまわり、久留米城や柳川城を落とした。このはたらきが認められ、肥前・佐賀藩をまかされることとなった。

愛知県 丹羽長秀 [にわ ながひで]
1535年 ▼ 1585年

柴田勝家と並び双璧と呼ばれた信長の重臣

愛知県 蜂須賀正勝 [はちすか まさかつ]
1526年 ▼ 1586年

秀吉の生え抜きの家臣

蜂須賀小六 [はちすか ころく]

生涯

天文4年（1535年）

尾張国児玉村（愛知県名古屋市西区）に生まれたと言われる。幼名万千代

元亀2年（1571年）

浅井・朝倉との戦いに功績をあげ、近江（滋賀県）佐和山城を拝領

天正10年（1582年）

本能寺の変　中国から戻ってきた豊臣秀吉と合流し、山崎で明智光秀を倒す

天正11年（1583年）

賤ヶ岳の戦い

柴田勝家らを倒し、その功から若狭・越前（福井県）と加賀（石川県）能美郡が与えられ、北庄（福井市）に移った

天正13年（1585年）

越前で51歳で死去

エピソード

信長に信頼された家臣

若い頃から織田信長に仕えた。長秀の「長」は信長の字から与えられたもの。信長から「長秀は友であり、兄弟である」と信頼され、信長に若狭一国を与えられる。信長の家臣として軍事、政治の両面で活躍した。

ニックネーム

信長に柴田勝家に続く二番目格の家老の席次を与えられ、勝家とともに「織田家の双璧」と呼ばれるようになる。また、「五郎左衛門」という名前もあり、信長から「お米のように欠かせない人物」という意味で「米の五郎左」と呼ばれていたといわれている。

【名言】

これがそなたに対する自分の心持ちである

生涯

大永6年（1526年）

尾張国海東郡蜂須賀村（愛知県あま市）の土豪の家に生まれる。通称は小六

永禄3年（1560年）

桶狭間の戦い

美濃の斎藤道三に仕えていたが、この時織田信長を助け、その後豊臣秀吉に従う

天正元年（1573年）

秀吉が長浜城主となったおりに筆頭家老となり所領を得る

天正10年（1582年）

備中高松城攻めに際して、毛利氏との交渉にあたり、開城に成功した

天正14年（1586年）

61歳で死去

エピソード

本名は蜂須賀正勝だが、小六の名前で知られる。

敗色濃厚の道三に加勢

美濃の斎藤道三が息子である斎藤義龍と戦った際は、すでに敗色濃厚だった道三方として参戦した。かつて油売りをしていた頃に行き倒れ、正勝の祖父に助けられた道三が、蜂須賀家に目を掛けていたためである。

秀吉を試す

豊臣秀吉（当時・木下藤吉郎）と出会った時、秀吉を試すため、富豪の屋敷に強盗に入らせたり、3日以内に自分の刀を盗む様に命令するなど難題を仕掛けたという。それをあっさりやってのけた秀吉に感服、以後、戦術や処世術を教え込み、秀吉の出世、天下統一を支えた。

愛知県
服部半蔵
[はっとり はんぞう]
家康に仕えた伊賀忍者
1542年
▼
1596年

岐阜県
堀秀政
[ほり ひでまさ]
何でもそつなくこなし「名人」の異名をとる武将
1553年
▼
1590年

生涯

天文 11 年 (1542 年)
三河（愛知県）に生まれる。父・服部半三保長は伊賀（三重県）服部郷を出自とする。半蔵は通称、名は正成

元亀元年 (1570 年)
姉川の戦い
父の跡を継ぎ徳川家康に仕え、伊賀者の頭領として活躍

天正 10 年 (1582 年)
本能寺の変 明智軍に包囲された家康を助け岡崎城に帰着させた

天正 18 年 (1590 年)
小田原参陣などにより、家康の関東入国後、江戸城麹町口に組屋敷をもつ

慶長元年 (1596 年)
55 歳で死去

エピソード

⚙ 鬼の半蔵
本名は服部正成で、「服部半蔵」は代々受け継がれる通称。徳川家康の家臣で、伊賀出身であることから忍者集団である伊賀同心の統率を任せられていた。「鬼の半蔵」と呼ばれ恐れられていた猛将で、忍者だったかは不明。

⚙ 半蔵門
皇居に「半蔵門」と呼ばれる門があり、地下鉄の路線名にもその名があるが、これは服部半蔵にちなんでのもの。服部半蔵率いる伊賀同心組が警護を行ったことがその名の由来とされている。

⚙ 忍者ハットリくん
藤子不二雄Ⓐのギャグ漫画作品「忍者ハットリくん」のキャラクターの主人公、「服部貫蔵・通称：ハットリくん」は伊賀流の少年忍者で服部半蔵の子孫という設定。

生涯

天文 22 年 (1553 年)
美濃国茜部（岐阜県岐阜市）で生まれる。父は斎藤道三に仕えた。通称は久太郎

天正元年 (1573 年)
織田信長に仕えるようになり、越前の一向一揆の平定などに参戦

天正 10 年 (1582 年)
本能寺の変
山崎の合戦以後は、豊臣秀吉に従う

天正 13 年 (1585 年)
越前（福井県）北ノ庄の 18 万石を得て、北陸の要衝を治める

天正 18 年 (1590 年)
小田原攻めの陣中で病死。38 歳

エピソード

⚙ 信長の側近
わずか 13 歳で織田信長の小姓・側近となる。一説には秀政が美少年だったからではないかといわれている。16 歳で足利義昭の仮御所となる本圀寺の普請奉行を務めるなど、信長の側近としてその地位を確立した。何でも器用にこなすことから「名人・久太郎」ともよばれた。

⚙ 大判 10 枚
ある日、弟の秀種に城の修理を任せた。秀種の修理は大雑把だったため、秀政はきつく叱った。すると、秀種は出奔してしまった。秀政は、秀種がお金に困ってはいけないと思い、家臣に大判 10 枚を渡して届けさせた。

⚙ 最期
豊臣軍として小田原合戦に参加したが、小田原攻めの際に早川口の陣中で急死した。

愛知県
【やまもと かんすけ】
山本勘助

武田信玄の軍師とされる伝説的な武将

1493年？
▼
1561年

愛知県
【さかきばら やすまさ】
榊原康政

小牧・長久手の戦いで秀吉を激怒させた武将

1548年
▼
1606年

生涯

明応2年（1493年）？
三河国宝飯郡牛窪（愛知県豊川市）に生まれた（『甲陽軍鑑』）説と、駿河国富士郡山本（静岡県富士宮市）で生まれた（『甲斐国志』）説がある

天文12年（1543年）
武田信玄（甲斐・山梨県）の重臣の推挙により召し抱えられた。兵法に優れた人物として知られていた

天文22年（1553年）
信玄の命令で、上杉謙信（越後・新潟県）の侵入に備えるべく北信濃に海津城（長野市松代、後の松代城）を築く

永禄4年（1561年）
川中島の戦いの失敗の責任を取り討死

エピソード

⊕ 実在した人物？
武田信玄に軍師として仕えたとされる人物で知られるが、勘助についての確かな史料がまったくなく、実在した人物なのか、謎に包まれた伝説の武将か不明。昭和になって発見された「市河文書」のなかには「山本"菅助"」の名前があるが、勘助の行動に関する記述は江戸時代に刊行された「甲陽軍鑑」にしかなく、その存在が疑問視される。

⊕ 容貌
身の丈低く、色黒で醜く、隻眼で無数の傷があり、足が不自由で指もそろっていなかったといわれている。

⊕ ヤマカン
「ヤマカンが当たった」などと使う「ヤマカン」の語源は、山本勘助の名前を略したものから来ているという説もある。

生涯

天文17年（1548年）
三河国碧海郡（愛知県）で徳川家の重臣・榊原長政の子

天正12年（1584年）
小牧・長久手の戦い
豊臣秀吉に非難の檄文を送るなどの策をほどこし、戦功を上げる

天正18年（1590年）
館林（群馬県）に10万石を与えられる。徳川の四天王とも言われた

慶長5年（1600年）
関ヶ原の戦い
徳川秀忠に従い、信州上田城で真田父子に足止めされる

慶長11年（1606年）
館林にて没する。59歳

エピソード

⊕ 康の一字
13歳の頃から徳川家康に仕えた。16歳で三河一向一揆で初陣を飾り、家康からたたえられ、家康の「康」の一字を名前に与えられた。家康は康政を「人品の高いことでは一番」と褒め、「我が家に康政がいる」が口癖だったといわれている。

⊕ 康政を殺したら10万石の褒美
小牧・長久手の戦いで、康政は豊臣軍に向け「信長の家臣だった秀吉は、その恩を忘れて織田家を乗っ取ろうとしている」という檄文を書いた。それを読んだ秀吉は激怒し、康政を殺した者には10万石の褒美を出すことにしたといわれる。

⊕ 【名言】
老臣が権力を得るのは亡国の兆しである

奈良県
島左近
[しま さこん]
？年 ▼ 1600年

「鬼左近」と呼ばれた石田三成の軍師

長野県
村上義清
[むらかみ よしきよ]
1501年 ▼ 1573年

武田信玄に二度勝利した武将

生涯

?

生年は不明。大和の筒井順慶に仕えた。名は清興。後に石田三成の参謀役となる

文禄元年（1592年）

文禄の役で朝鮮に渡る

慶長5年（1600年）

関ヶ原の戦い

西軍に属し、先鋒として戦ったが戦死

最期

関ヶ原の戦いでは石田軍の先鋒として戦い、負傷しながらも激闘を演じた末に討死したと言われているが、生き延びたとする説もある。

エピソード

通称

島左近という名前は通称で、本名は島清興。

浪人となる

筒井順慶の家臣として仕えた左近だったが、順慶の死後筒井家を継いだ定次と相性が合わず、筒井家を出奔。その後、近江へ渡り浪人になった。

筒井順慶に進言

本能寺の変後、明智光秀からの協力要請を拒否するように順慶に進言したのは左近だと言われている。

石田三成に仕官

浪人生活の間も、左近のもとに多くの人々が訪れ仕官を求めた。とくに豊臣秀吉の家臣である石田三成が熱心に左近を口説き、自分の収入の半分に近い俸給を出すという破格の待遇に仕官を決意したと言われている。

生涯

文亀元年（1501年）

信濃国埴科郡（長野県坂城町）葛尾城主の子として生まれる

天文17年（1548年）

武田信玄の信濃侵略に際して、信玄の軍を上田原（上田市）で破った

天文19年（1550年）

砥石城で再び武田軍と戦いこれを破る

天文22年（1553年）

武田勢に三度攻められて葛尾城を脱出。越後の上杉謙信のもとを頼った

元亀4年（1573年）

越後で病を得て亡くなる。73歳

エピソード

信玄に2度勝利

義清は、武田信玄との戦いにおいて、2度の勝利をおさめている。一度目は上田原の戦い（長野県上田市）で、義清の兵力より武田軍の兵力が上回っていたが勝利。二度目は砥石（戸石）城（長野県上田市）攻撃で、武田軍は「砥石崩れ」と呼ばれる大敗となった。信玄にとっては生涯で数少ない2度の敗北を経験した。

信玄を破った武将

信玄を破った武将として、有名になったが、実際の活躍を残した文書はほとんど伝わってないといわれる。義清の地元、長野県埴科郡坂城町には、義清の功績をたたえる史跡が残っている。

山形県
片倉小十郎
【かたくら こじゅうろう】
1557年 ▼ 1615年

伊達政宗の右腕として活躍した武将

滋賀県
結城秀康
【ゆうき ひでやす】
1574年 ▼ 1607年

家康の実の息子でありながら冷遇された人物

生涯

弘治3年（1557年）
出羽国（山形県）の八幡宮神職の家に生まれる。景綱。小十郎は通称

天正3年（1575年）
米沢城主伊達輝宗の長男、梵天丸（後の政宗）に従う。政宗の近侍として長く尽くすこととなる

天正18年（1590年）
豊臣秀吉の小田原攻めでは、政宗を説得して参戦させ、功をあげる

慶長7年（1602年）
陸奥白石（宮城県）城主となる。1万3000石

元和元年（1615年）
59歳で亡くなる

エピソード

政宗を一生支えた
19歳のとき、9歳の伊達政宗に仕えた。政宗とともに多くの合戦に勝利し、小十郎のうわさを聞いた秀吉から家臣になるよう頼まれた。しかし、小十郎はそれを断り、政宗からは誰よりも信頼されたという。

政宗の目を取る
右目が見えない政宗は、小十郎に右目を取ってほしいと頼んだ。小十郎は迷った末に政宗の右目をえぐり取ったという。それまで内気な性格だった政宗は生まれ変わったように活発になっていったという。

政宗の窮地を救う
敵兵に囲まれてしまった政宗に対し、小十郎は「小十郎！」と呼びかけ、「やあやあ殊勝なり、政宗ここに後見致す」と叫んで窮地を救った。

生涯

天正2年（1574年）
徳川家康の次男として生まれる。母は側室のお万の方

天正12年（1584年）
小牧・長久手の戦い
戦いの和睦に際し豊臣秀吉の養子に

天正19年（1591年）
下総（茨城県）結城家の養子となる

慶長5年（1600年）
関ヶ原の戦い
下野国（栃木県）小山に出陣して上杉景勝の西上を阻止。越前国と信濃、若狭の67万石を領し、松平姓にもどり越前北庄を居城とした

慶長12年（1607年）
北庄にて没する。34歳

エピソード

双子説
徳川家康の次男。若くして信長のために切腹させられた松平信康の弟。父・家康からは疎まれていたともいわれる。小牧・長久手の戦い後、豊臣秀吉の養子（実質は人質）となり、羽柴秀康と名のった。のち秀吉の命で下総（茨城県）の名門結城晴朝の婿養子となる。秀康は双子という説があり、もうひとりは永見貞愛といわれている。

相撲観戦の騒ぎ
家康と伏見城で相撲観戦していたとき、観客が興奮状態になって騒ぎだした。すると秀康は立ち上がり、観客を睨みつけた。その威厳に観客が驚いて、騒ぎは一瞬でおさまったという。

京都府 細川幽斎 [ほそかわ ゆうさい]

1534年 ▼ 1610年

信長・秀吉・家康の三英傑に重用された武将歌人

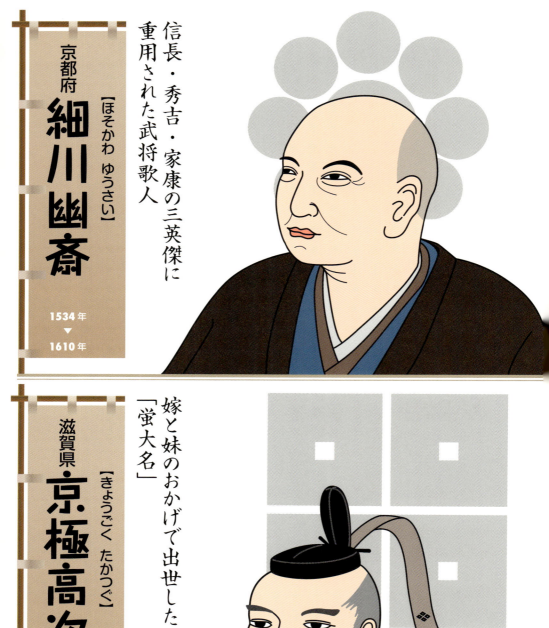

滋賀県 京極高次 [きょうごく たかつぐ]

1563年 ▼ 1609年

嫁と妹のおかげで出世した「蛍大名」

生涯

天文3年（1534年）
足利幕府の幕臣三淵晴員の次男

天文8年（1539年）
和泉半国（大阪府南部）守護家の細川元常の養子となる。後に家督を相続

永禄11年（1568年）
織田信長の援助を得て、足利義昭の上洛に成功する

天正元年（1573年）
信長が将軍義昭を追放したあと、信長の臣となり長岡（京都府）の地を得た

慶長15年（1610年）
77歳で死去

エピソード

👤 人物
　穏やかで飾らなく、周囲への配慮を忘れない人物だったと伝えられる幽斎。めったに感情を顔に出さなかったと言われるが、冗談やしゃれも言う人物だったという。歌人としても有名で、有職故実、古典など当代一の文化人。

👤 怪力の持ち主
　若い頃、牛車を引く牛が勢いよく突進して来た際、牛の角を握って後ろに押し倒したことがあったという。また、織田信長の次男、信雄の屋敷で能が催された時、そこに招待された幽斎が屋敷の門をくぐろうとした時、門番が幽斎を不審人物と思い、通すまいとして竹の棒を突き出した。幽斎はすかさず突き出した棒と門番の手をねじった。その時、門番の手の骨を砕いてしまったという話も。

生涯

永禄6年（1563年）
近江国小谷（滋賀県東浅井郡）で生まれる。もともとは佐々木姓

天正元年（1573年）
織田信長への人質となり岐阜にいたが、浅井氏滅亡後は、信長に仕える

天正10年（1582年）
本能寺の変
明智光秀に味方したが、妹を豊臣秀吉の側室としたため、許された

慶長5年（1600年）
関ヶ原の戦い
徳川家康の東軍につき、その功で若狭小浜（福井県）を与えられた

慶長14年（1609年）
小浜で没した。側室の初は、秀吉の側室であった淀殿の妹

エピソード

👤 負け組につく
　京極氏は、もともと室町幕府の守護大名である近江佐々木源氏の流れを受け継ぐ名門。応仁の乱後に内紛が続き、父の代で没落。織田信長の人質として育った。本能寺の変で信長死後、明智光秀、柴田勝家と負け組ばかりにつき、2度もさからった豊臣秀吉に捕らえられる。

👤 秀吉
　秀吉は高次の盟友、武田元明を自害させ、その妻である竜子を側室にした。竜子は高次の妹で兄を救うために自分を投げ出したといわれている。こうして秀吉は高次を許した。秀吉は、ただ許しただけでなく、近江に2500石を与えた。高次は城持ち大名になり、浅井長政の次女で従妹でもある初と結婚した。

175

静岡県
【いまがわ うじざね】
今川氏真
1538年 ▼ 1614年

今川家を滅亡させた蹴鞠の名手

島根県
【あまご つねひさ】
尼子経久
1458年 ▼ 1541年

中国地方に尼子王国を建設した戦国大名

生涯

天文 7 年（1538 年）

駿河（静岡県）の戦国大名、今川義元の子として生まれる

永禄 3 年（1560 年）

桶狭間の戦い

父・義元が敗れて亡くなり、三河（愛知県）・遠江・駿河（静岡県）を相続し領有する

永禄 10 年（1567 年）

武田信玄、北条氏康、徳川家康によって相続した所領を奪われる

永禄 12 年（1569 年）

北条氏直によって伊豆に移される。今川氏は滅びた

慶長 19 年（1614 年）

江戸、品川で 77 歳で没

エピソード

今川家滅亡

父は今川義元。母は武田信虎の娘の定恵院。義元が桶狭間の戦いで織田信長によって討たれ、今川家の家督を相続したが、武田信玄と徳川家康による駿河・今川領への侵攻が進み、それに敗れて今川家は氏真の代で滅亡した。その後は北条氏を頼り、最後は桶狭間の戦いで今川家を離反した家康に身を寄せ、武蔵品川に屋敷を与えられた。

蹴鞠（けまり）

蹴鞠の名手として知られ、織田信長の前で蹴鞠を披露したといわれる。

和歌

生涯、多くの和歌を詠み、現代の編集になる「今川氏と観泉寺」には 1658 首が収録されている。

生涯

長禄 2 年（1458 年）

出雲（島根県）守護代の父・尼子清定（きよさだ）の子として生まれる。文明 10 年（1478 年）までには家督を相続した

永正 5 年（1508 年）

出雲の守護大名である京極氏より領国支配を譲り受ける

永正 17 年（1520 年）

出雲国西部の支配を確立。尼子氏としての勢力を拡大する基礎となった

天文 6 年（1537 年）

家督を孫の尼子晴久（はるひさ）（詮久（のりひさ））に譲り隠退

天文 10 年（1541 年）

月山富田城（島根県安来市）で死去

エピソード

11 か国太守

出雲（島根県）の守護代であった尼子清定の嫡男。父の跡をつぎ出雲の守護代となるが、寺社本所領・段銭などの税を押領して室町幕府から追放された。まもなく勢力を回復し、山陰・山陽にかけての 11 か国の太守と称される戦国大名となった。

家臣に優しい

家臣が経久の持ち物を褒めると、どんな高価なものでも喜んでプレゼントしてしまうため、家臣は褒めることをためらったという。謀略の天才といわれた敵陣からの評判とはまったく違い、家臣には非常に優しく、その人柄をとても愛された人物だといわれている。

177

岐阜県 斎藤義龍 [さいとう よしたつ]

長良川の戦いで、父・道三を討ち取る

1527年 ▼ 1561年

長崎県 有馬晴信 [ありま はるのぶ]

大友宗麟や木村純忠とともに少年使節をローマに派遣

1567年 ▼ 1612年

生涯

大永 7 年（1527 年）
美濃（岐阜県）の斎藤道三の子。はじめ新九郎高政と称した

天文 23 年（1554 年）
道三より家督を相続し、美濃の守護代となり稲葉山城主となった

弘治 2 年（1556 年）
父・道三との確執から、長良川にて合戦し道三を討つ。織田信長とも争う

永禄 2 年（1559 年）
領国支配を確立しつつ京都の将軍家ともつながりを、足利幕府の相伴衆（将軍の宴席・来訪などに参席する役職）に

永禄 4 年（1561 年）
美濃で病没、35 歳

エピソード

道三の子？
父は美濃の斎藤道三といわれているが、実際は土岐頼芸の子という説もある。

父・道三を倒す
斎藤道三は息子の義龍に能力がないと思って、後継ぎの座から降ろそうとした。これをきっかけに二人は対立し戦争に。「長良川の戦い」で義龍は父・道三を倒して美濃を手に入れた。道三は、義龍に能力がないと思っていたことが間違っていたと気がつき後悔したといわれている。

大男
当時の平均身長が 157cm ほどといわれた時代に、義龍は身長が 6 尺 5 寸（約 197cm）あり、6 尺 5 寸殿と呼ばれていた。

生涯

永禄 10 年（1567 年）
肥前国高来（長崎県）日野江城（原城）主、有馬義貞の次男として生まれる

天正 8 年（1580 年）
イエズス会のバリニャーノから、武器や食料の援助を受け、龍造寺を破った。受洗し、洗礼名プロタジオと称する

天正 10 年（1582 年）
大友宗麟らと協力して、天正遣欧使節をローマに派遣

天正 15 年（1587 年）
秀吉によるバテレン追放令が出されたため、多くの宣教師を領内でかくまった

慶長 17 年（1612 年）
甲斐（山梨県）に流され、そこで自害

エピソード

5 歳で家督を継承
有馬義貞の次男。兄の義純が早世したため、5 歳で家督を継承。肥前日野江城主（長崎県南島原市）となる。

キリシタン大名
南蛮文化の流行やキリシタンとの交易による利益をも考え、キリシタンに改宗。洗礼名はジョアン・プロタジオ。大友宗麟や木村純忠とともに少年使節をローマに派遣した。

関ヶ原の戦い
関ヶ原の戦いでは、徳川軍（東軍）に味方し、加藤清正とともに宇土城（熊本県宇土市）を攻める予定だったが、眼病のため参加できなかった。

最期
長崎奉行暗殺を計画したとの理由で所領は没収され、甲斐に流され自害させられた。

青森県
南部信直
【なんぶ のぶなお】

家督相続騒動が尾を引き家臣と争い続けた武将

1546年 ▼ 1599年

徳島県
三好長慶
【みよし ながよし】

畿内・四国を支配した戦国大名

1522年 ▼ 1564年

生涯

天文 15 年 (1546 年)
陸奥国糠部郡田子城（青森県田子町）の城主、南部高信の子

永禄 8 年 (1565 年) ころ
本家筋の三戸城主（青森県三戸町）南部晴政の養子となり、晴政の娘を妻に

天正 18 年 (1590 年)
豊臣秀吉の小田原攻めに参陣し、南部内七郡（三戸、二戸、九戸、北、鹿角、岩手、閉伊）の領有を認められる

天正 19 年 (1591 年)
九戸での反乱を平定し九戸城（岩手県二戸市）を福岡城として再興した

慶長 4 年 (1599 年)
福岡城で亡くなる。54 歳

エピソード

⚉ 南部晴政の養子に
　陸奥・南部氏の一門である石川高信の子として生まれる。南部氏第 24 代当主・南部晴政に男子がいなかったため、養子となり、家督を継ぐこととなっていた。

⚉ 確執後
　その後、晴政に実子・晴継が誕生し、信直が邪魔になった。晴政は信直の毘沙門堂参拝を狙って手勢を率いて攻撃した。しかし、信直の鉄砲による奇襲に遭い、晴政は落馬したといわれている。晴政死後、晴継が 25 代当主になるが、謎の死を遂げ、最終的に信直が第 26 代当主になった。

⚉ 秀吉に接近
　政治的な駆け引きに長けていて、前田利家を通じて豊臣秀吉に接近。小田原攻めには、いち早く参陣、秀吉との連携を強めた。

生涯

大永 2 年 (1522 年)
阿波（徳島県）芝生城で生まれる。父は阿波・山城国の守護代三好元長

享禄 5 年 (1532 年)
父・元長が一向一揆により戦死。細川晴元に仕える

永禄元年 (1558 年)
永年対立していた将軍義輝と和睦。以降は畿内諸国の領国を経営する

永禄 3 年 (1561 年) ころ
河内飯盛山城（大阪府四條畷市）に拠点を移した

永禄 7 年 (1564 年)
飯盛山城で病死。43 歳

エピソード

⚉ 10 歳で家督継承
　三好元長の長男。父・元長は室町幕府の管領・細川晴元に仕えていたが、勢力が大きくなった元長を恐れた晴元は、元長を殺してしまう。10 歳の長慶は幼少だったため殺されることもなく、家督を継承し、晴元に仕えた。

⚉ 権力、晩年
　長慶は晴元に仕えて勢力を伸ばしていったが、やがて晴元と対立。将軍・足利義輝をも追放し、晴元を退けて畿内・四国 8 か国を支配し（摂津を中心に、山城・丹波・和泉・阿波・淡路・讃岐・播磨など）権力をふるった（三好政権ともいわれる）。しかし、家臣の松永久秀に実権を奪われて勢力を失っていき、晩年はうつ病を患っていたといわれている。

181

大阪府
鳥居元忠
【とりい もとただ】

「三河武士の鑑」と称された家康の側近

1539年 ▼ 1600年

？
石川数正
【いしかわ かずまさ】

家康の重臣ながら、秀吉へ突如謎の出奔

？年 ▼ 1592年

生涯

天文 20 年（1551 年）

今川氏の人質となっていた松平竹千代（徳川家康）の元に仕える

永禄元年（1558 年）

徳川家康の初陣に従う。
これ以降、姉川の戦い、長篠の戦いなど常に家康に従って戦功を挙げた

天正 10 年（1582 年）

北条氏勝を甲斐で破り、甲斐郡内の領地を得る

天正 18 年（1590 年）

小田原城攻めでは筑井城や岩槻城を攻め落とし、下総矢作 4 万石を与えられた

慶長 5 年（1600 年）

関ヶ原の戦いで伏見城を守ったが、豊臣方の攻撃により落城。戦死

エピソード

◉ 部下への思いやり

武田勝頼と徳川家康の間で行われた「高天神城の戦い」の際、元忠率いる前線に、兵糧が届かず飢えに苦しんだことがあった。

そこで一人の兵が元忠へと民家から飯をもらってきたが、元忠は「将兵の飢える時、我が衆と共に労苦を共にして進まずば、何をもって功をなすことができようか。共に餓死する覚悟だ」と言って、手をつけなかった。

これを知った兵たちは感激し、飢えを忘れて士気を高めたという。その後、まもなく兵糧が届き、勝利をおさめた。

◉ 三河武士の鑑

「関ヶ原の戦い」では、1800 人余の兵を率いて伏見城に籠城、石田三成の降伏勧告を無視して徹底抗戦を貫いたが、大軍相手についに落城。壮絶な討ち死を遂げ、「三河武士の鑑」と人々に称賛されることになった。

生涯

天文 18 年（1549 年）

今川氏の人質となった松平竹千代（徳川家康）に随従して仕える

永禄 3 年（1560 年）

桶狭間の戦いで今川が敗れ、家康は独立。石川は織田信長との同盟を進める

永禄 12 年（1569 年）

西三河の旗頭となって治める

天正 18 年（1590 年）

小田原城攻めの戦功により、信濃松本 10 万石を与えられ、松本城主として城を普請

文禄 2 年（1593 年）

文禄の役の肥前名護屋の陣中で病死

エピソード

◉ 幼少期から家康の重臣

徳川家康が今川家の人質となっていた幼少時代から家康の遊び相手を兼ねた重臣。また軍人としての能力も長け、今川家の失脚により徳川家が独立した際、人質にとられていた家康の正室・築山殿と嫡男の信康を決死の覚悟で奪還した。

◉ 家康から秀吉へ出奔

織田信長の死去後、信長の重臣であった羽柴秀吉（後の豊臣秀吉）が台頭すると、数正は秀吉との交渉を担当したが、「小牧・長久手の戦い」ののち、秀吉の勧誘を受けて突如出奔。秀吉の家臣として仕え、信濃松本 10 万石を領した。

【おおくぼ ただよ】
愛知県
大久保忠世
1532年
▼
1594年

「武勇の将」として知られ、敵将も称賛した

【ひらいわ ちかよし】
愛知県
平岩親吉
1542年
▼
1611年

生涯を通して家康から信頼された家臣

生涯

天文元年（1532年）

三河国上和田郷にて生まれる。幼い頃から岡崎城主、松平広忠（徳川家康の父）に仕える

弘治元年（1555年）

今川家の人質となった家康に仕え、今川方の武将として蟹江城攻めで武功を挙げる。「蟹江七本槍」の一人として称されるほどの活躍

永禄6年（1563年）

三河一向一揆との戦いで戦功をおさめ、家康に認められる

天正18年（1590年）

小田原征伐の後、小田原城主となり4万5,000石の大名となった

文禄3年（1594年）

小田原城で63歳の生涯を終えた

エピソード

勇猛ぶり

1574年、遠江犬居城を攻撃した際、敵兵の抵抗によって崖下に落とされてしまったが、忠世は崖を這い上がって、待ち伏せしていた敵兵3人を一気に斬ったという。

褒美にホラ貝

1575年、武田勝頼との決戦、「長篠の戦い」での采配の妙を織田信長から「良き膏薬（こうやく）のごとし、敵について離れぬ膏薬侍なり」との賞賛を受けたほか、徳川家康からは褒美として一尺四寸五分のホラ貝を与えられた。このホラ貝は「長篠」という名がつけられ、大久保家の家宝となった。

七不食（ななくわず）

忠世は毎月、七日間は食事を一切取らないで軍備を貯めるという倹約を行い、その習慣を死ぬまで続けたという。

生涯

天文16年（1547年）

人質として今川へ送られる家康に随従

永禄10年（1567年）

家康の長男である松平信康が元服、親吉は信康の傅役となる

慶長6年（1601年）

関ヶ原の戦いの後、甲府に加増転封され甲府城に入った

慶長8年（1603年）

徳川義直（尾張徳川の祖）が数え年3歳で甲斐25万石を与えられ、親吉は義直の傅役となり、藩政を代行

慶長12年（1607年）

義直が尾張国清洲藩主に転じ、親吉は義直の附家老として尾張へ移封。尾張犬山城主となった

慶長16年（1611年）

名古屋城二の丸御殿で死去

エピソード

家康とは幼なじみのような関係

徳川家康が今川家の人質時代だったころより仕える。また、家康と同年齢であり、幼なじみのような関係だったという。そのため、家康の信頼は厚く、家康の嫡男・信康の生後まもなく傅役に抜擢された。

信康自害

1579年、信康は築山殿事件で、家康の命令で身柄を拘束、遠江へ移送された後に自害させられた。親吉は信康の命を助けるよう家康に嘆願、自らの首を刎ねて織田信長に献上して事件を収めるようにと訴えたが、家康は親吉を斬るより、息子の信康を自害させることを選んだ。

晩年

晩年は家康が八男・仙千代を養子として与えたが、夭逝。実子もいなかったため、親吉の死をもって平岩家は断絶した。

愛知県 お市の方 [おいちのかた]

1547年 ▼ 1583年

政略結婚の末に悲劇的な最期を遂げた信長の妹

滋賀県 淀殿 [よどどの]

1567年 ▼ 1615年

浅井三姉妹の長女。秀吉の側室

生涯

天文 16 年（1547 年）

尾張（愛知県）に織田信長の妹として生まれる。名は市

永禄 10 年（1567 年）ころ

近江国小谷城（滋賀県東浅井郡）城主浅井長政に嫁ぐ。小谷の方と称する

天正元年（1573 年）

信長により小谷城が落城したため、3 人の娘と共に、清洲城に引きとられる

天正 10 年（1582 年）

本能寺の変

信長没後、柴田勝家と再婚。越前北庄城に移る

天正 11 年（1583 年）

賤ヶ岳の戦い

北庄城で亡くなる

エピソード

美人

とても美人と評判で、その美貌は戦国一といわれた。愛情表現が下手な信長でさえ、お市のことを溺愛していたと言われている。

浅井三姉妹

浅井長政と結婚、茶々（淀殿）、初、江の「浅井三姉妹」を生む。

長女の茶々（淀殿）は豊臣秀吉と結婚して秀頼を生み、秀吉の死後、秀頼を支えた。

次女の初は京極高次、三女の江は徳川秀忠と結婚した。

最期

長政は信長と対立して姉川の戦いで滅ぼされ、後に、柴田勝家と再婚するが、勝家が秀吉と戦って敗れたため、娘たちを逃がした後、勝家とともに自害。

生涯

永禄 10 年（1567 年）

近江国小谷城（滋賀県東浅井郡）の浅井長政とお市の方の長女として生まれる。幼名は茶々

天正 10 年（1582 年）

本能寺の変

信長没後、母が柴田勝家と再婚。越前北庄城（福井県福井市）に移る

天正 11 年（1583 年）

柴田勝家と母が亡くなり、秀吉に保護される

文禄 2 年（1593 年）

秀吉の子、秀頼を生み、その後権勢を振るう

慶長 20 年（1615 年）

大坂夏の陣 で大坂城が落城し、自害

エピソード

秀吉と結婚

母・お市は、本能寺の変後、柴田勝家と再婚し、淀殿は母・妹とともに北ノ庄城（福井市、福井城）に移る。その後、豊臣秀吉と勝家が対立、秀吉に攻められた勝家とお市は自害。淀殿と妹は両親のかたきである秀吉の保護を受けることとなる。秀吉はお市の方に憧れていたといわれていて、お市の方によく似ていた淀殿と結婚し、豊臣家の後継ぎになる秀頼が生まれた。

最期

淀殿は豊臣秀吉の死後、豊臣秀頼の母として豊臣家の権力を握る。しかし、関ヶ原の戦いで、西軍が敗れたため、徳川家康が政権を握り、豊臣家の上に立つということががまんできなかった。大坂冬の陣を経て夏の陣で大坂城は落城し、秀頼とともに自害。豊臣家は滅びた。

[こうだいいん] 高台院ねね

愛知県

1549年 ▼ 1624年

秀吉の正室。秀吉死後、尼となって高台院と称した

[こまつひめ] 小松姫

長野県

1573年 ▼ 1620年

本多忠勝の娘。真田信之の正室

生涯

天文 18 年（1549 年）
尾張（愛知県）の杉原定利の娘として生まれる。幼名はねね。後に織田家の浅野長勝の養女となる

永禄 4 年（1561 年）
14 歳で木下藤吉郎（豊臣秀吉）と結婚。正室

慶長 8 年（1603 年）
秀吉が亡くなったあとこの年に朝廷から高台院の院号を許される

慶長 10 年（1605 年）
徳川家康の援助のもと京都に高台寺を建立

寛永元年（1624 年）
高台寺で 77 歳で死去

エピソード

秀吉の妻
「おね」とも呼ばれる豊臣秀吉の正室。当時としては珍しい恋愛結婚だったという。秀吉を支え続け、秀吉が長浜城主だった時は城代として留守を守ることも多かった。子供には恵まれなかったが、石田三成や福島正則、加藤清正など、秀吉の家臣となった多くの武将の養育を行い、母親代わりでもあった。

北政所
天正 13 年に秀吉が関白に就任すると北政所と称し、発言力も絶大になった。

淀殿
浅井長政とお市の娘で秀吉の側室になっていた淀殿は、秀吉との間に豊臣秀頼を生んで権力を持つようになり、次第に 2 人は不仲になった。

生涯

天正元年（1573 年）
徳川家の重臣・本多忠勝の娘として生まれる

天正 15 年（1587 年）
徳川家康と真田昌幸の抗争を豊臣秀吉が仲裁し、真田信之（真田昌幸・長男）との婚姻が決まる

慶長 5 年（1600 年）
関ヶ原の戦い
信之は徳川方として東軍に属し、戦功を上げたことから、信濃国（長野県）上田と沼田を所領とされた

元和 6 年（1620 年）
病気の療養に向かう途中で 47 歳で死去

エピソード

真田信之に嫁ぐ
幼名は稲姫。父は戦国最強と言われる本多忠勝。上田合戦で真田軍の強さを知った本多忠勝が、真田昌幸を味方につけるために娘の小松姫を嫁がせることを家康に提案し、真田信之の正室となった。容姿端麗の美女だった。

真田昌幸・幸村を救った
関ヶ原の戦いで、西軍が敗北。昌幸と幸村は、徳川家康から切腹を言い渡されるが、信之が必死になり止めた。その裏で小松姫が、父の本多忠勝を通して、命だけは助けてもらうように働きかけたという。切腹の代わりに、2 人は紀伊の九度山で謹慎処分を受けた。

旦那は長寿
大坂の陣で病床に伏せていた信之はすっかり回復した。小松姫は、信之より先に亡くなり、信之は 92 歳まで生きたといわれている。

静岡県
[つきやまどの]
築山殿

夫の徳川家康に殺害された悲劇の正室

? 年
▼
1579年

静岡県
[かめひめ]
亀姫

嫉妬深い女性といわれた家康の長女

1560年
▼
1625年

生涯

生年不明

今川氏の家臣であった関口氏と今川義元の妹の娘として生まれる

弘治 3 年（1557 年）

今川義元の養女として徳川家康に嫁ぐ

永禄 2 年（1559 年）

嫡男・竹千代（後の松平信康）が誕生

永禄 5 年（1562 年）

駿河に残された築山殿と竹千代・亀姫が岡崎に移る

永禄 10 年（1567 年）

竹千代が 9 歳となり織田信長の長女・徳姫と結婚

天正 7 年（1579 年）

武田勝頼に内通したことを織田信長に咎められ、家康の家臣により暗殺

エピソード

家康の正室

　今川の人質だった松平元信（後の徳川家康）と結婚。嫡男・信康、長女・亀姫を産む。築山殿の生年月日は不明だが、家康より年上だったと伝えられている。また、家康との仲はあまりよくなく、嫉妬深い性格だったらしい。

家康に殺害される

　築山殿は信康の嫁で織田信長の娘である徳姫ともそりが合わなかった。徳姫は信康と築山殿の悪事を書き連ねた書状を信長に送り、その中に武田氏との内通が含まれていたことが命取りとなり、それを読んだ信長が激怒、家康に築山殿と信康も殺害するように命じた。1579 年、家康は家臣に築山殿を殺害するように命じたが、どこかに逃がしてくれると期待していたとも伝えられる。

生涯

永禄 3 年（1560 年）

徳川家康と築山殿の長女として、駿府にて誕生

永禄 5 年（1562 年）

人質交換により母と共に三河・岡崎城に移る

天正 4 年（1576 年）

新城城主・奥平信昌の正室となる

慶長 6 年（1601 年）

奥平信昌が関ヶ原の戦功として、美濃加納 10 万石に封じられ、加納に移ったことから加納御前と呼ばれた

寛永 2 年（1625 年）

加納において 66 歳で死去

エピソード

17 歳で奥平信昌の正室に

　徳川家康の長女、母は築山殿。1576 年、17 歳のときに「長篠の戦い」で功績を上げた奥平信昌の正室に。四男一女をもうけた。

嫉妬深い性格

　夫婦仲はよかったようにみえるが、亀姫は母・築山殿に似て嫉妬深い性格だったようで、夫の信昌には生涯、側室を置かせなかった。

　侍女を 12 人殺めたという話が残されていて、亀姫に殺められたとされる侍女の霊を祀った「十二相神」というお墓が岐阜県加納城にある。

静岡県 西郷局／於愛の方 [さいごうのつぼね／おあいのかた]

家臣や侍女たちからも親しまれた家康の側室

1552年 ▼ 1589年

京都府 千姫 [せんひめ]

二代将軍・徳川秀忠と江（崇源院）の長女。

1597年 ▼ 1666年

192

生涯

天文 21 年（1552 年）
父・戸塚忠春と母・西郷氏の娘として生まれる

元亀 2 年（1571 年）
最初の夫が先だったのち、再婚した西郷義勝との間に子供をもうけたが、義勝が討死

天正 6 年（1578 年）
徳川家康の側室に望まれ、叔父である西郷清員の養女として嫁ぐ

天正 7 年（1579 年）
徳川秀忠（のちの 2 代将軍）を生み、翌年には忠吉を生んだ

天正 17 年（1589 年）
移り住んだ浜松城で病死

エピソード

❂ 義勝の後妻になる
15 歳で母方のいとこの西郷義勝の後妻として嫁いだ。一男一女を産むが、義勝が武田氏との戦いで戦死した。

❂ 家康の側室に
1578 年、徳川家康が浜松城に帰る途中、西郷村の西郷氏宅で休息していたところ、西郷局の美貌が目にとまり、西郷局は家康の側室になる。一年後に長丸（二代将軍秀忠）、その翌年には福松丸（松平忠吉）を産む。

❂ 人柄
美人で温和誠実な人柄で知られ、家康最愛の側室といわれた。また、城内の家臣や侍女たちからも、とても好かれていたという。

生涯

慶長 2 年（1597 年）
江戸幕府第 2 代将軍・徳川秀忠とお江与の方（浅井長政とお市の方の 3 女）の長女として伏見に生まれる

慶長 8 年（1603 年）
7 歳で豊臣秀頼に嫁ぎ大坂城に入る

元和元年（1615 年）
大坂夏の陣で豊臣が滅びると、大坂城から江戸に戻る

元和 2 年（1616 年）
桑名城主本多忠政の嫡男・忠刻と再婚。のち姫路城に移った

寛永 3 年（1626 年）
忠刻が病没し、出家して江戸に戻って天樹院と称し、吉田御殿にてすごした

寛文 6 年（1666 年）
70 歳で生涯を終える

エピソード

❂ 豊臣秀頼に嫁ぐ
数え 7 歳で従兄妹同士の関係にあった豊臣秀頼に嫁ぎ、乳母の刑部卿局とともに大坂城に入る。夫婦仲はたいへんよかったという。

❂ 悲劇の千姫
1615 年、大坂夏の陣で秀頼が母・淀君とともに城内で自害。千姫は大坂落城の際に脱出。翌年、本多忠勝の孫、本多忠刻と再婚。この時、津和野藩主・坂崎直盛が輿入れの行列を襲って、千姫を強奪しようとする事件があったとされる。忠刻との間に一男一女をもうけたが、忠刻と息子が他界したのち、娘の勝姫とともに江戸に戻る。その後、出家して天樹院と号し、娘と竹橋御殿で暮らした。

❂ 御乱行伝説
江戸にもどった千姫が、夜になると道行く美男子に声をかけ、吉田御殿に誘い込んで、遊んでは口封じにみんな毒殺したという「吉田御殿の御乱行」伝説があるが、根も葉もないデマだった。

山梨県 阿茶局／雲光院
【あちゃのつぼね／うんこういん】
1555年 ▼ 1637年

戦、政治面でも活躍した家康の側室

愛知県 朝日姫／旭姫
【あさひひめ】
1543年 ▼ 1590年

家康に強引に嫁がされた豊臣秀吉の妹

生涯

弘治元年（1555年）
甲斐武田氏の家臣、飯田直政の娘として甲府で生まれる

天正5年（1577年）
今川氏の家臣神尾忠重に19歳で嫁いだが、この年なくなり、寡婦となる

天正7年（1579年）
浜松城で徳川家康の側室となる

天正17年（1589年）
徳川秀忠の実母が亡くなり母がわりとして育てる

慶長19年（1614年）
大坂冬の陣では和睦の使者などとしてはたらく

寛永14年（1637年）
秀忠の朝廷工作などに尽力して死去

エピソード

家康の側室
武田氏の家臣、飯田久衛門直政の子として生まれ、今川氏の家臣、神尾孫兵衛忠重に嫁ぎ、一男をもうける。忠重の死後、徳川家康の目に留り側室になった。

家康の死後も幕府を支えた
武田家出身であるため、馬術や武芸にも優れ、側室でありながら、家康の懐刀として、戦場や政治の中枢にも身を置いた。「小牧・長久手の戦い」では、戦場に同行。陣中では一度懐妊したが流産し、家康との子どもは得られなかった。大阪冬の陣、夏の陣では、和睦交渉の使者を務めるなど活躍。
家康の死後も、二代将軍秀忠の娘・和子（東福門院）入内の際には、母代わりとして供奉し、天皇家からも信頼を得て、臣下の女性としては異例の従一位を授かった。秀忠の死後、出家。号は雲光院。83歳でこの世を去った。

生涯

天文12年（1543年）
母なか（のちの大政所）の娘として、藤吉郎（のちの豊臣秀吉）の妹として生まれる

天正14年（1586年）
小牧・長久手の戦ののち、夫であった佐治日向守との離縁を秀吉から命じられ、その後、徳川家康に嫁ぎ、駿府に居を構えた

天正16年（1588年）
母である大政所の病気を理由に、京都の聚楽第に移る

天正18年（1590年）
その後、駿府に戻ることなく、聚楽第で48歳で亡くなった

エピソード

徳川家康の正室
豊臣秀吉の実妹。朝日姫は既婚だったが、「小牧・長久手の戦い」のあと、徳川家康を懐柔しようとした兄の秀吉により強制的に夫と離縁させられ、家康のもとに嫁ぐことになった。この時、朝日姫は44歳。家康に嫁いだ後、浜松城から駿府城に移ったのに伴い、駿河御前とも呼ばれた。

晩年は病気がちだった
朝日姫は家康とわずか2年間生活をともにしただけで、母・大政所の病気見舞いを理由に上洛。自身も病気がちであり、駿府へ戻ることなく京都・聚楽第で死去。夫婦仲はよくなかったようで、朝日姫の葬儀に家康の姿はなかったといわれている。

器量が悪い!?
朝日姫は、器量が悪かったと伝わるが、なんの根拠もない。若い側室をたくさん抱えていた家康のなかで、当時では高齢の44歳で輿入れしたことが原因だともいわれる。

愛知県 大政所／仲
【おおまんどころ／なか】
1516年 ▼ 1592年

天下統一を果たした豊臣秀吉の実母

岐阜県 春日局／斎藤福
【かすがのつぼね／さいとうふく】
1579年 ▼ 1643年

3代将軍家光を育てた大奥の権力者

生涯

天文 6 年（1537 年）
織田家の足軽・木下弥右衛門に嫁ぎ、木下藤吉郎（のちの豊臣秀吉）を生む

天文 12 年（1543 年）
弥右衛門が亡くなると織田信秀に仕えた同朋衆・竹阿弥と再婚

天正 4 年（1577 年）
竹阿弥の没後は秀吉の妻であるねね（北政所）と共に暮らし、秀吉の長浜城入城とともに移る

天正 13 年（1585 年）
秀吉の関白就任後には大政所と呼ばれるようになる

天正 20 年（1592 年）
娘・朝日姫や息子・秀長が続けて亡くなり、病が重くなって聚楽第で亡くなった

エピソード

豊臣秀吉の実母

名は仲、天瑞院とも呼ばれる。織田家の雑兵だったと言われる木下弥右衛門のもとに嫁ぎ、豊臣秀吉を生む。

晩年は病気がち

1586 年、徳川家康を聚楽第に上洛させるため、大政所は人質として三河岡崎に行く。それにより、家康は上洛し、大坂城で秀吉への臣従の礼をとった。

その後、大政所は約 1 ヵ月の人質生活を終え、大坂城へと戻る。ただ、大政所はもともと体調を崩しやすく、このころから病気がちであったと言われ、一時は回復するも、娘の朝日姫、息子の秀長に先立たれたことで気落ちもあったのか、1592 年、聚楽第で 77 歳で死去。大政所の死に、秀吉はあまりのショックに卒倒したと言われている。

生涯

天正 7 年（1579 年）
明智光秀の家老斎藤利三と稲葉通明の娘おあんとの娘として生まれる

天正 10 年（1582 年）
本能寺の変で父が処刑され、母方の一族稲葉重通の養女となる後に稲葉正成に嫁ぎ正勝らを産み、のち離婚。

慶長 9 年（1604 年）
徳川家光（3 代将軍）の乳母となるべく江戸へ赴き、大奥に入る

元和元年（1615 年）
家康に家光の世襲を訴え、その取り計らいにより家光は世子と定まった

寛永 6 年（1629 年）
朝廷との間で起きた紫衣事件の解決のため上洛。春日の局号と緋袴を賜る

寛永 20 年（1643 年）
64 歳で亡くなる

エピソード

竹千代（家光）の乳母に任命

1604 年、二代将軍・徳川秀忠の嫡子・竹千代（家光）が誕生すると、福は乳母に任命された。一説には、福の顔には当時、もっとも恐ろしい流行病であった天然痘にかかったあとがあり、免疫があるから乳母に適しているとして採用されたともいわれている。

絶大な権力を手にする

家光が 3 代将軍に就任すると、春日局は大奥を取り仕切るようになり、幕政にも絶大な影響力を持つようになった。乳母でありながら、そこまでの権力を持っていたのは、一説によると、家光の生母だったのではないか、また、家康と親密な仲だったのではないかともいわれている。

辞世の句

「西に入る 月を誘い 法をへて 今日ぞ火宅を逃れけるかな」。

戦国武将 四天王 ファイル

　古い話になりますが、昭和歌謡の「御三家」といえば橋幸夫、舟木一夫、西郷輝彦。その後に続いた「新御三家」は、西城秀樹、野口五郎、郷ひろみの3人。永六輔、小沢昭一、野坂昭如からなる「中年御三家」というのもあったり、ものまね界ではコロッケ、清水アキラ、栗田貫一、ビージーフォー・スペシャルの「ものまね四天王」が流行りました。スポーツの世界ではプロレスから武藤敬司、蝶野正洋、橋本真也の「闘魂三銃士」が人気を集め、政界からは小渕恵三、橋本竜太郎、羽田孜と、3人もの総理大臣を誕生させた「竹下派七奉行」や、森喜朗、塩川正十郎、加藤六月、三塚博の「安倍派四天王」など、さまざまな分野において有力、有名な人物を集めてこのように称して呼ばれました。

　こうした名称は戦国時代の武将にもたくさんあり、例えば、伊達三傑、徳川四天王、豊臣家五奉行、畠山七人衆、黒田八虎、尼子十旗など、ものすごい数の名称があります。

　ここでは、その中から戦国時代の「四天王」と呼ばれた有力武将をほんの一部ですが集めてみました。

織田 信長
（おだ のぶなが）

織田四天王
織田信長の下に仕えた4人の武将たちの名称。
これに、羽柴秀吉を加えると「織田五大将」といわれる。

柴田 勝家
（しばた かついえ）
「瓶割り柴田」などと呼ばれた信長の最有力家臣。本能寺の変では、上杉勢と交戦中だったため、駆けつけられなかった。

丹羽 長秀
（にわ ながひで）
信長が「長秀は友であり兄弟」といったほど、四天王の中で最も信長に信頼を置かれていた武将。

滝川 一益
（たきがわ いちます／かずます）
忍者一族、鉄砲名人とも伝わる武将。武田攻めでは勝頼父子を討ち取る功名を挙げた。

明智 光秀
（あけち みつひで）
政務、軍事の両方で活躍、信長の信頼も得ていたが、突如、本能寺の変で、信長を襲撃し自刃に追いつめた。

徳川 家康
（とくがわ いえやす）

徳川四天王

徳川家康の下で仕えた4人の武将たちの名称。
そのほか、武勇を最も称えられた本多忠勝、榊原康政、井伊直政の3人を指して「徳川三傑」ともいう。

酒井 忠次
（さかい ただつぐ）
家康が人質時代から付き従った徳川四天王筆頭家臣。長篠の戦いで功績を挙げたときは織田信長からも称賛された。

本多 忠勝
（ほんだ ただかつ）
敵方に「家康に過ぎたるもの」と云わしめた徳川軍最強の猛将。生涯57度の戦で、かすり傷ひとつ負わなかったなど、最強エピソードに事欠かない。

榊原 康政
（さかきばら やすまさ）
幼少の頃から家康に仕え、上にも恐れず物申すことができる人物だったと伝わる。小牧・長久手の戦いで、檄文を書いて秀吉を激怒させた知将。

井伊 直政
（いい なおまさ）
鷹狩りの帰り途中に家康に見出され家臣になったと伝わる。赤色の軍装「赤備え」を率いて「井伊の赤鬼」「人斬りの兵部」の異名で知られた。

武田 信玄
（たけだ しんげん）

武田四天王

武田信玄の下に仕えた4人の武将たちの名称。信玄の死後、跡を継いだ武田勝頼を四天王は補佐したが、勝頼からは疎まれていたという。
初期の武田四天王は板垣信方、甘利虎泰、飯富虎昌、小山田昌辰の4人といわれている。

馬場 信春
（ばば のぶはる）
馬場信房の名でも知られる。戦場では「不死身の鬼美濃」と称された。長篠の戦いでは内藤昌秀としんがりをつとめ、壮絶な討死を遂げた。

山県 昌景
（やまがた まさかげ）
赤い軍装で統一した「赤備え」を率い最強の代名詞となった。長篠の戦いで戦死。赤備えは井伊直政に受け継がれた。

内藤 昌秀
（ないとう まさひで）
内藤昌豊の名でも知られる。「真の副将」として信玄から絶大な信頼を寄せられた武将。多くの戦いで功績を挙げたが、長篠の戦いで戦死。

春日 虎綱
（かすが とらつな）
高坂昌信の名でも知られる。上杉謙信との戦いでは終始前線を受け持った。長篠の戦いには参加しておらず生き延びた。外交方面で大きな役割を果たす。

豊臣 秀頼
（とよとみ ひでより／とよとみ の ひでより）

秀頼四天王

徳川家康と豊臣家が対立し、起こった大坂の陣における豊臣秀頼の有力家臣4人の名称。
豊臣家最後の戦いは、徳川家康に敗れ、秀頼は母・淀殿とともに自害した。

木村 重成
（きむら しげなり）
秀頼に招かれて大坂入城。大坂冬の陣後の講和交渉に秀頼の使者として徳川方に出向き、血判誓詞を受け取る。大坂夏の陣の戦いで、討死を遂げた。

長宗我部 盛親
（ちょうそがべ もりちか）
秀頼に招かれて大坂入城。大坂夏の陣で多くの将兵を討ち取り奮闘するが、井伊直孝、藤堂高虎の軍との戦いに敗れ、京都六条河原で斬られた。

後藤 又兵衛
（ごとう またべえ）
浪人生活後、秀頼に招かれ大坂入城。大坂夏の陣で伊達政宗の鉄砲隊に囲まれ戦死。道後温泉で首をとられたという説も。

真田 幸村
（さなだ ゆきむら）
秀頼に招かれて大坂入城。大坂冬の陣では真田丸を築き徳川軍の侵攻を食い止めた。大坂夏の陣で家康を追いつめるも最後は戦死した。

上杉 謙信
（うえすぎ けんしん）

上杉四天王

上杉謙信の下に仕えた4人の武将たちの名称。
その他、上杉謙信に仕えた武将で、特に評価の高い25名を「上杉二十五将」と呼ぶ。

柿崎 景家
（かきざき かげいえ）
上杉四天王の筆頭格。その名を聞いただけで敵が逃げ出すほどだったという猛将。しかし、織田信長に通じたという疑いをかけられ処刑された。

宇佐美 定満
（うさみ さだみつ）
謙信に仕え始めたのは50歳を過ぎてからと伝わり、それ以外ほとんど不明。四天王に数えられるようになったのは、江戸時代の軍学者、宇佐美定祐による言い伝えだといわれている。

直江 景綱
（なおえ かげつな）
長尾為景、晴景、景虎（上杉謙信）の3代に仕え、謙信の家督相続の中心となり、絶大な信頼を寄せられた。内政、外交面でも活躍。

甘粕 景持
（あまかす かげもち）
狩猟で暮らしていたが、謙信に見込まれて家臣に。「勇気と知謀を兼ね備えた侍大将」と称され、川中島の戦いではしんがりをつとめた。

羽柴 秀吉
（はしば ひでよし）

羽柴四天王

羽柴秀吉の出世を後押しした4人の武将たちの名称。

神子田 正治
（みこだ まさはる）
信長から秀吉の家臣へ転じた武将。小牧・長久手の戦いにおいて秀吉と口論になり追放。放浪の末、秀吉に帰参させてほしいと頼んだが拒否され、死を申し付けられ、最後は切腹。

尾藤 知宣
（びとう とものぶ）
信長の家臣、森長可に仕えていたが秀吉の家臣へ。九州征伐での消極的な戦いが秀吉の怒りを買い追放。小田原征伐の際、秀吉に許しを乞おうとしたが、処刑された。

戸田 勝隆
（とだ かつたか）
信長から秀吉の家臣へ転じた武将。「これを超える勇功の士あらず」と称された。文禄の役では朝鮮の巨済島で講和交渉に当たるが、病にかかり帰国の途中で病死。

宮田 光次
（みやた みつつぐ）
秀吉が近江国長浜城主となった頃からの家臣。1578年の三木城攻めで討ち死、四天王の中で最も早く亡くなった。その死を秀吉は大変嘆いたという。

最上 義光
（もがみ よしあき）

最上四天王

最上義光の下で仕えた有力武将の名称。

四天王なのに6人も名前があるのは、資料によって記述に違いがあるため。

氏家 守棟
（うじいえ もりむね）
最上義光の腹心。天正最上の乱では、伊達氏との和睦交渉を担当、義光の家督相続に大きく貢献した。

楯岡 満茂
（たておか みつしげ）
雄勝郡に出陣し、湯沢城を攻め落とし湯沢城主となる。慶長出羽合戦では、小野寺氏に対する守備を担当。その後、由利郡本荘城に移り、本城氏を称した。

志村 光安
（しむら あきやす）
長谷堂城合戦では、長谷堂城を守備を担当、上杉軍を撤退に追い込み、城を死守し続けた。

野辺沢 満延
（のべさわ みつのぶ）
はじめは天童頼貞氏に属し、反義光の立場を取っていたが、のちに義光の家臣となり、天童氏を滅ぼした。剛力無双の猛将と伝わる。

鮭延 秀綱
（さけのべ ひでつな）
長谷堂城合戦では、幾度も上杉軍の陣に奇襲を仕掛けて大混乱に陥らせ、敵味方とわず、その武勇を激賞された。

里見 民部
（さとみ みんぶ）
慶長出羽合戦では、上杉軍の別働隊を奇襲、壊滅させる戦功をたてたが、その後、最上を出奔。一説には最上家康の暗殺に加担した罪を問われたからとも。

龍造寺 隆信
（りゅうぞうじ たかのぶ）

龍造寺四天王

龍造寺隆信に仕えた4人の武将のたちの名称。

成松 信勝
（なりまつ のぶかつ）
今山の戦いで、敵将の大友親貞の首を挙げるという大きな功績を挙げ、龍造寺は強大勢力になるが、沖田畷の戦いで、信勝は隆信とともに討死。

百武 賢兼
（ひゃくたけ ともかね）
もともとは戸田姓を名乗っていたが、隆信から「100人並みの武勇を持つ」と称賛され、百武という名前を与えられる。沖田畷の戦いで戦死。

江里口 信常
（えりぐち のぶつね）
沖田畷の戦いで、隆信が討死するなか、味方と偽り、有馬・島津軍の陣中に入り込み、総大将・島津家久の首を狙うも失敗、その場でなぶり殺し。

円城寺 信胤
（えんじょうじ のぶたね）
沖田畷の戦いで味方が大混乱に陥り、少しでも逃げる時間を稼ごうと「我こそが龍造寺隆信なり」と名乗り上げ、敵中に斬り込み、壮絶な死を遂げた。

木下 昌直
（きのした まさなお）
隆信の右腕である鍋島直茂の家臣になり、沖田畷の戦いでは、鍋島のしんがりとなり、四天王の中で唯一生き延びた。

四天王なのに5名いる理由は、4人目が円城寺信胤か木下昌直か、資料によって記述に違いがあるため。

201

◆索引

あ行

秋田 実季（あきた さねすえ）	1576 〜 1659	84
明智 光秀（あけち みつひで）	1528? 〜 1582	22
浅井 長政（あざい ながまさ）	1545 〜 1573	72
朝倉 義景（あさくら よしかげ）	1533 〜 1573	74
浅野 長政（あさの ながまさ）	1547 〜 1611	134
浅野 幸長（あさの よしなが）	1576 〜 1613	148
朝日姫／旭姫（あさひひめ）	1543 〜 1590	194
足利 義昭（あしかが よしあき）	1537 〜 1597	24
足利 義輝（あしかが よしてる）	1536 〜 1565	146
蘆名 盛氏（あしな もりうじ）	1521 〜 1580	126
阿茶局（あちゃのつぼね）／雲光院（うんこういん）	1555 〜 1637	194
尼子 経久（あまご つねひさ）	1458 〜 1541	176
尼子 晴久（あまご はるひさ）	1514 〜 1560	118
荒木 村重（あらき むらしげ）	1535 〜 1586	150
有馬 晴信（ありま はるのぶ）	1567 〜 1612	178
井伊 直政（いい なおまさ）	1561 〜 1602	150
池田 輝政（いけだ てるまさ）	1564 〜 1613	142
石川 数正（いしかわ かずまさ）	? 〜 1592	182
石田 三成（いしだ みつなり）	1560 〜 1600	26
今川 氏真（いまがわ うじざね）	1538 〜 1614	176
今川 義元（いまがわ よしもと）	1519 〜 1560	30
上杉 景勝（うえすぎ かげかつ）	1556 〜 1623	60
上杉 謙信（うえすぎ けんしん）	1530 〜 1578	34
宇喜多 秀家（うきた ひでいえ）	1572 〜 1655	66
お市の方（おいちのかた）	1547 〜 1583	186
大内 義隆（おおうち よしたか）	1507 〜 1551	140
大久保 忠世（おおくぼ ただよ）	1532 〜 1594	184
太田 道灌（おおた どうかん）	1432 〜 1486	148
大谷 吉継（おおたに よしつぐ）	1559 〜 1600	152
大友 宗麟（おおとも そうりん）／大友 義鎮（おおとも よししげ）	1530 〜 1587	52
大政所（おおまんどころ）／仲（なか）	1516 〜 1592	196
織田 信長（おだ のぶなが）	1534 〜 1582	10

か行

春日局（かすがのつぼね）／斎藤福（さいとうふく）	1579 〜 1643	196
片倉 小十郎（かたくら こじゅうろう）	1557 〜 1615	172
加藤 清正（かとう きよまさ）	1562 〜 1611	40

加藤 嘉明（かとう よしあきら ／ よしあき）　　　　1563 ～ 1631　　　　152
亀姫（かめひめ）　　　　1560 ～ 1625　　　　190
蒲生 氏郷（がもう うじさと）　　　　1556 ～ 1595　　　　154
吉川 元春（きっかわ もとはる）　　　　1530 ～ 1586　　　　154
京極 高次（きょうごく たかつぐ）　　　　1563 ～ 1609　　　　174
九鬼 嘉隆（くき よしたか）　　　　1542 ～ 1600　　　　156
黒田 官兵衛（くろだ かんべえ）／黒田 孝高（くろだ よしたか）
　　　　　　　　　　　　1546 ～ 1604　　　　86
黒田 長政（くろだ ながまさ）　　　　1568 ～ 1623　　　　144
顕如（けんにょ）　　　　1543 ～ 1592　　　　130
高台院（こうだいいん）ねね　　　　1549 ～ 1624　　　　188
後藤 又兵衛（ごとう またべえ）／後藤 基次（ごとう もとつぐ）
　　　　　　　　　　　　1560 ～ 1615　　　　88
小早川 隆景（こばやかわ たかかげ）　　　　1533 ～ 1597　　　　136
小早川 秀秋（こばやかわ ひであき）　　　　1582 ～ 1602　　　　92
小松姫（こまつひめ）　　　　1573 ～ 1620　　　　188

さ行
西郷局（さいごうのつぼね）／於愛の方（おあいのかた）　　1552 ～ 1589　　　192
斎藤 道三（さいとう どうさん）／斎藤利政（さいとう としまさ）
　　　　　　　　　　　　1494? ～ 1556　　　　76
斎藤 義龍（さいとうよしたつ）　　　　1527 ～ 1561　　　　178
酒井 忠次（さかい ただつぐ）　　　　1527 ～ 1596　　　　156
榊原 康政（さかきばら やすまさ）　　　　1548 ～ 1606　　　　168
佐竹 義宣（さたけ よしのぶ）　　　　1570 ～ 1633　　　　96
佐々 成政（さっさ なりまさ）　　　　1536 ～ 1588　　　　94
真田 信繁（さなだ のぶしげ）／真田 幸村（さなだゆきむら）
　　　　　　　　　　　　1567 ～ 1615　　　　98
真田 昌幸（さなだ まさゆき）　　　　1547 ～ 1611　　　　102
柴田 勝家（しばた かついえ）　　　　1522 ～ 1583　　　　32
島 左近（しま さこん）　　　　? ～ 1600　　　　170
島津 義弘（しまづ よしひろ）　　　　1535 ～ 1619　　　　82
仙石 秀久（せんごく ひでひさ）　　　　1552 ～ 1614　　　　158
千 利休（せんの りきゅう）　　　　1522 ～ 1591　　　　128
千姫（せんひめ）　　　　1597 ～ 1666　　　　192

た行
高山 右近（たかやま うこん）　　　　1552 ～ 1615　　　　138
滝川 一益（たきがわ いちます／かずます）　　　　1525 ～ 1586　　　　158
武田 勝頼（たけだ かつより）／諏訪 勝頼（すわ かつより）　1546 ～ 1582　　　48

203

武田 信玄（たけだ しんげん）／武田 晴信（たけだ はるのぶ）

$\qquad$ 1521 ～ 1573 $\qquad$ 36

竹中 重治（たけなか しげはる）／竹中 半兵衛（たけなかはんべえ）

$\qquad$ 1544 ～ 1579 $\qquad$ 90

立花 道雪（たちばな どうせつ） 1513 ～ 1585 160

立花 宗茂（たちばな むねしげ） 1569 ～ 1642 104

伊達 政宗（だて まさむね） 1567 ～ 1636 68

長宗我部 元親（ちょうそかべ もとちか） 1539 ～ 1599 70

津軽 為信（つがる ためのぶ） 1550 ～ 1607 106

築山殿（つきやまどの） ？ ～ 1579 190

筒井 順慶（つつい じゅんけい） 1549 ～ 1584 160

藤堂 高虎（とうどう たかとら） 1556 ～ 1630 108

徳川 家康（とくがわ いえやす） 1543 ～ 1616 18

豊臣 秀長（とよとみ ひでなが） 1540 ～ 1591 162

豊臣 秀吉（とよとみ ひでよし） 1537 ～ 1598 14

豊臣 秀頼（とよとみ ひでより） 1593 ～ 1615 134

鳥居 元忠（とりい もとただ） 1539 ～ 1600 182

な行

直江 兼続（なおえ かねつぐ） 1560 ～ 1619 112

鍋島 直茂（なべしま なおしげ） 1538 ～ 1618 162

南部 信直（なんぶ のぶなお） 1546 ～ 1599 180

丹羽 長秀（にわ ながひで） 1535 ～ 1585 164

は行

蜂須賀 正勝（はちすか まさかつ）／蜂須賀 小六（はちすか ころく）

$\qquad$ 1526 ～ 1586 $\qquad$ 164

服部 半蔵（はっとり はんぞう） 1542 ～ 1596 166

平岩 親吉（ひらいわ ちかよし） 1542 ～ 1611 184

福島 正則（ふくしま まさのり） 1561 ～ 1624 78

古田 織部（ふるた おりべ） 1544? ～ 1615 144

北条 氏綱（ほうじょう うじつな） 1487 ～ 1541 136

北条 氏政（ほうじょう うじまさ） 1538 ～ 1590 58

北条 氏康（ほうじょう うじやす） 1515 ～ 1571 56

北条 早雲（ほうじょう そううん）／伊勢 宗瑞（いせ そうずい）

$\qquad$ 1432 ～ 1519 $\qquad$ 54

細川 忠興（ほそかわ ただおき） 1563 ～ 1646 146

細川 幽斎（ほそかわ ゆうさい） 1534 ～ 1610 174

堀 秀政（ほり ひでまさ） ……………………… 1553 〜 1590 ……………… 166
本多 忠勝（ほんだ ただかつ） …………………… 1548 〜 1610 ……………… 114

ま行
前田 利家（まえだ としいえ） …………………… 1538 〜 1599 ………………… 62
松永 久秀（まつなが ひさひで） ………………… 1510 〜 1577 ……………… 140
三好 長慶（みよし ながよし） …………………… 1522 〜 1564 ……………… 180
村上 義清（むらかみ よしきよ） ………………… 1501 〜 1573 ……………… 170
毛利 輝元（もうり てるもと） …………………… 1553 〜 1625 ………………… 44
毛利 元就（もうり もとなり） …………………… 1497 〜 1571 ………………… 46
最上 義光（もがみ よしあき） …………………… 1546 〜 1614 ……………… 122

や行
山内 一豊（やまうち かつとよ） ………………… 1546? 〜 1605 …………… 116
山本 勘助（やまもと かんすけ） ………………… 1493? 〜 1561 …………… 168
結城 晴朝（ゆうき はるとも） …………………… 1534 〜 1614 ……………… 124
結城 秀康（ゆうきひでやす） …………………… 1574 〜 1607 ……………… 172
淀殿（よどどの） …………………………………… 1567 〜 1615 ……………… 186

ら行
龍造寺 隆信（りゅうぞうじ たかのぶ） ………… 1529 〜 1584 ……………… 120

205

おもな参考文献

ビジュアル 戦国 1000 人 ― 応仁の乱から大坂炎上まで乱世のドラマを読む
小和田哲男（著、監修） 世界文化社
大判ビジュアル図解 大迫力！ 写真と絵でわかる日本史
橋場日月 西東社
ビジュアルワイド図解 日本の歴史 智将・軍師 100 西東社
超ビジュアル！ 戦国武将大事典 矢部健太郎（監修） 西東社
イラスト図解 戦国武将 河合敦（監修） 日東書院本社
徹底図解 戦国時代 ― 一族の存亡を賭け、目指すは天下 榎本秋
新星出版社
戦国武将の大誤解 ― 有名武将の知られざる素顔 丸茂潤吉 彩図社
別冊宝島 日本史上最強の戦国武将は誰だ?完全決着！
戦国最強武将ランキング 100 戦国武将審議委員会（監修） 宝島社
戦国武将の履歴書 時代劇ではわからない意外な過去
クリエイティブ・スイート 宝島社
戦国武将の肖像画（ビジュアル選書） 二木謙一 須藤茂樹
新人物往来社
戦国武将おもしろ雑学 ― 天下盗りの舞台ウラ名将たちのエピソード
廣済堂出版
戦国武将の解剖図鑑 本郷和人（監修） 株式会社エクスナレッジ
歴史群像シリーズ特別編集 決定版 図説戦国合戦図屏風 高橋修（監修・文）
学習研究社

戦国武将データファイル デアゴスティーニ・ジャパン
NO・2　12　19　22　38　39　42　44　47　48　50　52
　　54　59　60　61　62　63　65　69　78　107　109　111

週刊日本の 100 人 デアゴスティーニ・ジャパン
NO・1　3　5　12　14　23　26　34　35　36　41　43　49
　　51　52　54　59　77

週刊日本の 100 人番外編 デアゴスティーニ・ジャパン
NO・2　6　14

おしまいに

　昭和、平成、そして令和。いつの時代も戦国武将は一定の人気があります。尊敬する人物を戦国武将から選ぶ人も多く、自分を戦国武将に例えるのが好きな人もいます。

　政治家の権力闘争、スポーツのライバル対決や優勝争い、今話題の人たちなどはよく戦国武将や合戦に例えた記事が雑誌に載ってたりしますし、戦国武将をイメージしたテレビのコマーシャルもたくさん見かけます。こうして何百年も前の人物が、現在でも取り上げられて注目されるなんて、あらためて戦国武将の人気の凄さを感じました。

　そこで、戦国武将の人気にあやかりまして、たくさんの方に読んでいただいた『覚えておきたい 戦国武将 100』をさらにパワーアップして、戦国武将を 100 名、武将と共に戦国時代を戦った女性 12 名を選び、『覚えておきたい 新・戦国武将 112』という本がここに完成しました。

　日本全国の戦国武将をエピソードや生涯など、イラストでわかりやすく紹介していますので、順番に読んでいただいても、好きな武将からでも、気になる人物からでも、どこからでも楽しく読める一冊になっています。この本をきっかけに戦国武将により興味を持っていただけたら、大変嬉しく思います。

　ちなみに私は似顔絵描きだからなのかもしれませんが、たまに戦国武将の顔に似ている人を見つけたりすると、歴史上の人物に出会えたような気分になり、こういう話をいっしょに楽しめる人に、似ているかどうかを確認してみたくなることがあります。

　最後に出版の機会を与えてくださいました清水書院の中沖栄さん、中村雅芳さん、アルベルト高野さん、清水書院の皆さん、その他たくさんの方々、そして、この本を手にとってくださいました素敵な皆様、本当にありがとうございました。心から感謝しています。

2022 年　8 月
本間康司

著者紹介

絵と文

本間康司（ほんま こうじ）

　1968年生まれ、東京都出身。

　1993年から共同通信配信記事のイラストに登場。1998年の小渕内閣から党執行部の横顔、新閣僚の横顔の似顔絵を担当。

　組閣のイラストでは、組閣当日（共同通信から）入手した写真などを資料に描いているが、入閣した政治家のなかには、突然髪型を変えたり髪の毛を染めたりして記者会見に現れ、写真資料とは別人のような人もいるのでびっくり！する。似てる似てないはともかく、新聞、本、雑誌など、今までに、たぶん5000人以上の似顔絵を提供。

主な著書

『長嶋語録かるた』（日本テレビ出版　2001年）

『覚えておきたい人と思想100』（清水書院　2014年）

『思い出しクイズ昭和の顔』　前編／後編　（清水書院　2015年）

『覚えておきたい幕末・維新の100人＋1』（清水書院　2017年）

『覚えておきたい戦国武将100』（清水書院　2018年）

『覚えておきたいオリンピックの顔』（清水書院　2019年）

『覚えておきたい横綱の顔』（清水書院　2020年）。

写真提供	ピクスタ
ブックデザイン	上迫田智明
DTP制作	株式会社 新後閑

覚えておきたい **新・戦国武将 112**

2022年8月26日　　　初版発行

絵と文　　本間 康司

発行者　　野村久一郎

発行所　　**株式会社 清水書院**

　　　　　〒102-0072

　　　　　東京都千代田区飯田橋3-11-6

　　　　　電話　03-(5213)-7151

印刷所　　広研印刷 株式会社

製本所　　広研印刷 株式会社

　　　　　　　　　　定価はスリップに表示

●落丁・乱丁本はお取り替えいたします。

本書の無断複写は著作権法上での例外を除き禁じられています。複写される場合は、そのつど事前に、(社)出版者著作権管理機構（電話03-3513-6969、FAX03-3513-6979、e-mail: info@jcopy.or.jp）の許諾を得てください。

ISBN 978-4-389-50145-7　　　Printed in Japan